1 동물농장
2 걸리버 여행기
3 좁은 문
4 돈 키호테
5 죄와 벌
6 정글북
7 지킬 박사와 하이드
8 전쟁과 평화
9 지구에서 달까지
10 허클베리 핀의 모험
11 비밀의 화원
12 이상한 나라의 앨리스
13 아큐정전
14 변신
29 파우스트
30 파랑새
31 톰 아저씨의 오두막
32 폭풍의 언덕
33 작은 아씨들
34 알프스 소녀 하이디
35 크리스마스 캐럴
36 보물섬
37 톰 소여의 모험
38 80일간의 세계일주
39 사람은 무엇으로 사는가
40 안네의 일기
41 어린 왕자
42 꼬마 철학자
고로케, 사랑은 예쁜 공주와 멋진 왕자만 하는 게 아니야. 그렇지?

15 레 미제라블
16 어머니
17 오즈의 마법사
18 허풍선이 남작의 모험
19 도련님
20 제인 에어
21 올리버 트위스트
22 피터 팬
23 위대한 개츠비
24 닐스의 이상한 모험
25 오만과 편견
26 로빈슨 크루소
27 홍당무
28 타임머신
43 장 크리스토프
44 오페라의 유령
45 삼총사
46 테스
47 1984년
48 파브르 곤충기
49 검은 고양이
50 베니스의 상인
빅토르 위고의 〈노트르담의 꼽추〉는 파리의 노트르담 성당을 배경으로 씌어졌어.
그래, 맞아. 꼽추 카지모도의 고귀한 사랑 이야기를 읽으면 감동의 눈물을 흘리게 될걸.
카지모도와 에스메랄다의 사랑 이야기는 너무 슬퍼.
논술 명작 51
노트르담의 꼽추

아이세움 논술 | 명작 51

# 노트르담의 꼽추

## 감수 및 개발진

### 감수 방민호

서울대 국문과, 같은 과 대학원을 졸업했습니다. 제1회 창비신인평론상과 제18회 김달진문학상을 수상했으며, 현재 서울대 국문과 교수로 재직 중입니다. 〈비평의 도그마를 넘어〉, 〈문명의 감각〉을 비롯한 많은 책을 쓰고 엮었습니다.

### 편집 · 진행 비단구두

비단구두는 밥만큼 아이들 책을 좋아하는 사람들이 모여 어린이들에게 꼭 필요한 이야기와 철학이 담긴 책을 만드는 아동 도서 전문 기획회사입니다.

### 캐릭터 디자인 아이원커뮤니케이션(www.ionecom.co.kr)

아이원커뮤니케이션은 도전하는 창조적 정신과 책을 사랑하는 열정으로 우리 생활 곳곳에 꼭 필요한 좋은 책을 만들고자 탄생한 Book 콘텐츠 기획 · 제작 전문 회사입니다.

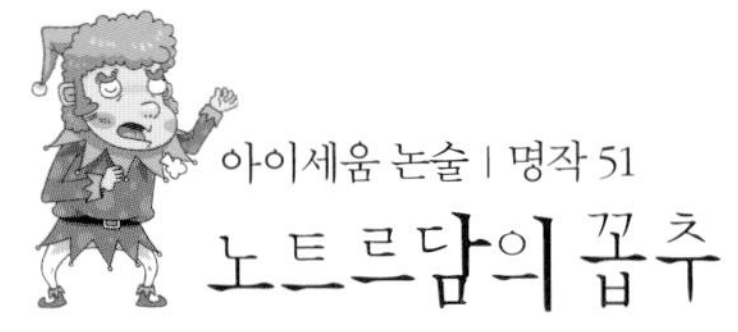

아이세움 논술 | 명작 51
노트르담의 꼽추

**원작** 빅토르 위고 | **엮음** 김남길 | **그림** 박준우 | **감수** 방민호
**펴낸날** 2008년 11월 25일 초판 1쇄, 2013년 10월 25일 초판 7쇄
**펴낸이** 김영진

**본부장** 조은희 | **사업실장** 이영호
**편집장** 박철주 | **편집 · 진행** 박희정, 위혜정, 고여주, 이유진 | **디자인** 강륜아
**펴낸곳** (주)미래엔 | **주소** 서울시 서초구 잠원동 41-10
**전화** 마케팅 02)3475-3843~4 편집 02)3475-3924 | **팩스** 02)541-8249
**등록** 1950년 11월 1일 제16-67호 | **홈페이지** www.i-seum.com



ISBN 978-89-378-4892-6 74860
ISBN 978-89-378-4116-3 (세트)

· 책값은 뒤표지에 있습니다.
· 파본은 구입처에서 교환해 드리며, 관련 법령에 따라 환불해 드립니다. 다만, 제품 훼손 시 환불이 불가능합니다.

Mirae N 아이세움은 (주)미래엔의 어린이책 브랜드입니다.

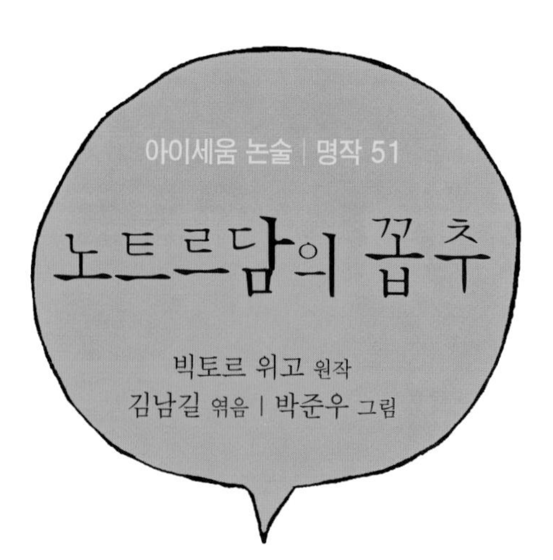

아이세움 논술 | 명작 51

# 노트르담의 꼽추


빅토르 위고 원작

김남길 엮음 | 박준우 그림

| 머리말 |

# 명작은 인간과 사회를 이해하는 첫걸음입니다

많은 사람들에게 재미와 감동을 주는 탁월한 작품을 명작이라고 합니다. 그중 시간과 공간을 초월하여 변함없이 사랑받아온 작품을 고전이라고 하지요.

우리는 어릴 때부터 고전과 명작 읽기의 중요성에 대해 배워 왔습니다. 고전 명작이 소중한 이유는 그 안에 인간과 사회에 대한 작가의 치열한 상념이 녹아 있기 때문입니다. 탄탄한 서사 구조 속에 재미와 감동은 물론, 시대를 대변하는 보편적인 가치가 반영되어 있기 때문입니다.

따라서 고전 명작을 읽을 때에는 작품 속 주제 의식이나 작가의 세계관을 올바로 이해하려는 노력이 필요합니다. 작가가 작품을 쓰던 당시의 사회적 배경이 어떠하였는지, 또 작품에서 가장 중요하게 다루고 있는 논쟁거리가 무엇인지에 대해 깊이 고민해야 합니다. 주제, 줄거리 등을 단편적으로 암기하는 것이 아니라 작가와 교감을 통해 인간과 사회에 대한 이해를 넓혀 가는 것입니다. 이런 노력이 뒷받침되어야 우리는 비로소 고전 명작을 읽었다라고 이야기할 수 있습니다.

〈아이세움 논술 | 명작〉은 고전 명작이 어른들의 전유물이라는 편견을 버리고, 재미있는 삽화와 쉬운 문장으로 구성하였습니다. 그리고 작품을 읽기 전에 작품을 둘러싼 시대적 배경을 알려 주고 읽은 후에는 작품에 대해서 토론하면서 생각할 수 있도록 구성되어 있습니다. 어린 독자들이 고전에 친숙해질 수 있는 기회를 주는 책이라고 생각합니다.

어린 시절에 읽는 양서 한 권이 어린이의 미래를 바꿉니다. 부디 〈아이세움 논술 | 명작〉으로 세계를 바라보는 안목을 높이고 자기만의 세계를 공고히 다져 나가기 바랍니다.

서울대학교 국어국문학과 교수
방민호

| 추천하는 글 |

# 명작 읽기의 소중함

열심히 책만 읽기에는 너무 고단한 우리 학생들에게 다시 '논술' 열풍이 불고 있다. 학생들이 스스로 즐겨 그렇게 된 것은 아니지만, 학생들을 위해 결코 나쁜 일이라고만 말할 수는 없을 것이다.

새삼스러운 얘기일 터이지만 좋은 글을 쓸 수 있는 가장 빠른 길은 "많이 읽고(다독多讀) · 많이 쓰고(다작多作) · 많이 생각(다상량多商量)" 하는 삼다(三多)밖에 다른 것이 없다.

먼저 다독이 문제다. 많이 읽는다고 해서 아무 책이나 마구잡이로 읽는 것을 다독이라고 하지는 않는다. 많이 읽되, 좋은 책을 읽을 때 그것이 다독이다. 그렇다면 어떤 책이 좋은 책일까?

우선 고전이라 할 명작에는 사람이 세상을 살면서 알아야 할 온갖 삶의 지혜와 가치가 담겨 있다. 가령 〈지킬 박사와 하이드〉에서는 인간 내면에 혼재해 있는 선과 악의 대립을, 〈동물농장〉

에서는 삶을 한없이 타락시키는 전체주의와 아름다운 삶을 지향하는 인간의 무한한 이상의 끊임없는 갈등과 투쟁에 대한 반추를 해 볼 수 있다. 이런 고전을 재미있게 읽고 생각하는 기회를 갖는 것이 바로 좋은 글을 쓸 수 있는 바탕이다. 문제는 고전이 너무 어렵고 분량이 방대하다는 점이다.

이번에 출간된 〈아이세움 논술 | 명작〉은 원전의 내용을 재구성해 어린 학생들이 쉽게 고전과 친해지도록 만들었다. 지루함을 덜기 위해 캐릭터를 사용해서 그 캐릭터들과 끊임없이 교감하며 끝까지 책을 손에서 놓지 못하게 만든 것도 이 시리즈의 특색이요 장점일 터이다. 책 뒤에 논술을 학습할 수 있도록 논술 워크북과 가이드북을 제공하여 '학습과 논술'이라는 두 문제를 다 해결할 수 있도록 배려한 점도 주목할 만하다. 어린 학생들이 편안하고 소중한 독서 경험을 하리라 본다.

물론 이 명작선은 완역본이 아니므로 이것만 읽어서는 해당 작품을 제대로 읽었다고 말할 수 없을 것이다. 그러나 훗날 학생들이 성장하여 완역본으로 다시 읽고 올바르게 이해하는 데 큰 도움이 되도록 세심한 배려를 했다.

이 점도 이 시리즈가 귀하고 값진 이유이다.

시인

신경림

| 차 례 |

## PART 1 명작 살펴보기



## PART 2 명작 읽기



안녕, 난 뒤뚱이야.
나랑 파리 노트르담
성당에 갈 사람 없어?

안녕, 난 번빠리야.
나랑 같이 가자.
자, 노트르담 성당으로
출발!

## PART 3 깊어지는 논술



## PART 4 논술 워크북

# PART 1

## 명작 살펴보기

겉모습보다는 마음이
중요하다는 걸 느껴 봐!

# 명작 살펴보기

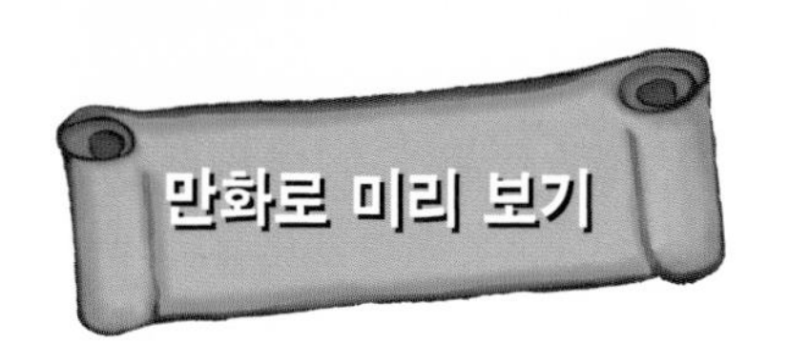
만화로 미리 보기

## 운명적인 사랑이 얽힌 노트르담 성당

흉측한 외모에 꼽추인 카지모도는 마음은 순수하고 따뜻하답니다. 그런 카지모도에게 사랑하는 여인 에스메랄다가 나타났어요. 세상 사람들이 외면하는 카지모도와 천사처럼 아름다운 에스메랄다, 두 사람의 사랑은 이루어질까요?

미녀와 야수의 사랑인가?

이곳이 <노트르담의 꼽추>의 배경이 된 노트르담 성당이야.
노트르담 성당 정말 멋진걸.
카지모도처럼 무섭게 생긴 사람이 날 사랑한다고 하면 어떡하지?
널 사랑한다는 사람은 없을 테니 걱정 마.

카지모도와 에스메랄다는 〈노트르담의 꼽추〉에 등장하는 다른 인물들과는 비교할 수 없을 정도로 맑고 순수한 영혼을 가지고 있답니다. 그런 카지모도와 에스메랄다의 **사랑 이야기 속으로 떠나 볼까요?**

## 어떤 이야기인가요?

# 겉모습은 악마, 속마음은 천사!

〈노트르담의 꼽추〉는 15세기 중세 파리의 노트르담 성당을 배경으로 쓴 작품이에요. 아름다운 집시 아가씨 에스메랄다를 향한 성당의 종지기 카지모도의 지고지순한 사랑을 그리고 있지요. 카지모도는 꼽추에 애꾸였으며, 다리까지 저는 장애를 갖고 태어났어요. 그런 흉측한 외모 때문에 사람들로부터 질시와 조롱을 받으며 세상에 외면당하지요. 하지만 흉측한 외모와는 달리 카지모도는 누구보다 마음이 순수한 사람이었어요.

작가 빅토르 위고는 〈노트르담의 꼽추〉를 통해 겉모습은 악마지만 순수한 영혼을 가진 카지모도와 겉모습은 천사지만 속마음은 악마인 클로드 신부를 비롯한 작품 속 인물들을 대비시키며 중요한 것은 겉모습이 아니라 속마음이라는 것을 보여 주고 있답니다.

## 고귀한 카지모도의 사랑

마음씨가 착하고 아름다운 에스메랄다는 외모가 흉측하다는 이유만으로 모든 사람이 카지모도를 외면할 때, 물 한 모금으로 그를 따뜻하게 감싸 줍니다. 카지모도는 그런 그녀를 더욱 사랑하게 되지요. 하지만 에스메랄다는 클로드 신부의 비뚤어진 사랑에 희생을 당하고 말아요. 클로드 신부는 그 대가를 죽음으로 치르게 됩니다.

카지모도는 멀리서만 그리워하던 에스메랄다를 죽어서 영원히 만납니다. 그녀를 자신의 목숨과도 맞바꿀 만큼 사랑했기 때문이지요. 〈노트르담의 꼽추〉는 순수한 영혼을 가진 카지모도를 통해 인간의 '고귀한 사랑'이 무엇인지 깨닫게 해 주는 작품이에요.

1831년에 발표된 <노트르담의 꼽추>는 빅토르 위고의 대표작인 동시에 프랑스 낭만주의 문학의 대표작 가운데 하나로 손꼽혀.

한눈에 살펴보기
나는 장 몰랭.
형님한테 돈을 타러
가야지.
나는 노파.
내 딸을 돌려 줘.
나는 페뷔스.
에스메랄다는 사랑스럽지만
집시라는 게 마음에 걸려.

Start 발단

노트르담 성당의 부주교 클로드 신부는 집시 아가씨 에스메랄다에게 사랑을 느끼고 남몰래 고민한다. 어느 날 에스메랄다가 헌병대 대장 페뷔스를 사랑한다는 것을 알고는 두 사람이 만나는 곳을 미행해 페뷔스를 찌르고 도망을 간다.

expansion 전개

페뷔스를 죽였다는 누명을 뒤집어쓴 에스메랄다는 교수형을 선고받고 지하 감옥에 갇힌다. 형이 집행되는 날 평소 에스메랄다를 사랑해 온 종지기 카지모도가 그녀를 구출하여 성당 안으로 데려와 보살핀다.

climax 절정

국왕이 에스메랄다를 체포하라는 명령을 내리자 기적궁의 거지들이 에스메랄다를 구출하기 위해 성당에 침입한다. 그 사이 클로드 신부가 에스메랄다를 납치해 그녀에게 사랑을 고백하지만 거절당한다.

ending 결말

에스메랄다는 결국 교수형을 당한다. 이 광경을 지켜보던 카지모도가 클로드 신부를 떼밀어 죽이고는 성당에서 모습을 감춘다. 오랜 세월이 흐른 뒤 에스메랄다의 유골 옆에서 카지모도의 유골이 함께 발견된다.

나는 클로드 신부. 에스메랄다는 왜 내 사랑을 받아 주지 않는 거야?
나는 시인 그랭구아르. 하지만 지금은 광대야.
이제 접어!

나는 카지모
에스메랄다 아
내가 지켜
나는 에스메랄다.
얼굴도 예쁘고 춤도 잘 추지만
무엇보다 마음씨가
예쁘답니다.
나는 양
잘리.

이렇게 읽어 보세요!

## 순수한 마음으로 세상을 바라보세요

파리에서 가장 아름다운 건축물로 알려진 노트르담 성당을 배경으로 씌어진 〈노트르담의 꼽추〉는 겉과 속이 다른 15세기의 파리를 그리고 있지요. 작가는 이 작품에서 백성들의 피를 빨아먹는 왕과 영주, 그런 왕을 비판하는 백성들, 타락해 가는 신부 등을 비판하고 있어요.

작가는 〈노트르담의 꼽추〉에서 외모는 흉측하지만 맑은 영혼을 가진 꼽추 카지모도와 고상한 척하지만 탐욕으로 얼룩진 사람들을 통해 외모나 신체적인 결함보다는 악한 영혼을 가진 것이 더 큰 장애라는 것을 보여 주지요. 카지모도처럼 순수한 마음으로 세상을 바라보면 세상이 온통 무지갯빛으로 보이지 않을까요?

▲ 노트르담 성당 종탑에서 한눈에 내려다보이는 파리 시내예요.

순수하고 아름다운
영혼보다 고귀한 건
이 세상에 없다고!

# 외모는 중요하지 않아요

여러분은 혹시 겉모습만 보고 사람을 판단하지는 않나요? 사람들은 단지 그 사람의 외모만 보고 '좋은 사람', '나쁜 사람'이라고 판단합니다. 하지만 잘 생각해 보세요. 태어날 때부터 불구의 몸으로 태어나는 사람도 있고, 어느 날 갑자기 사고를 당해 불구가 되는 사람도 있답니다. 〈노트르담의 꼽추〉의 주인공 카지모도처럼 말이지요. 카지모도는 흉측한 외모와 불구의 몸으로 태어났지만 마음속에 순수한 사랑을 키워 나갑니다. 괴물 취급을 하며 동정을 베풀 뿐 사랑을 주지 않는 에스메랄다를 변함없는 마음으로 사랑하지요.

여러분이 평소 외모만 보고 꺼려 했던 사람들에 대해 다시 한 번 생각해 보면서 이 책을 읽어 보세요.

▲ 〈노트르담의 꼽추〉는 노트르담 성당을 배경으로 씌어졌어요.

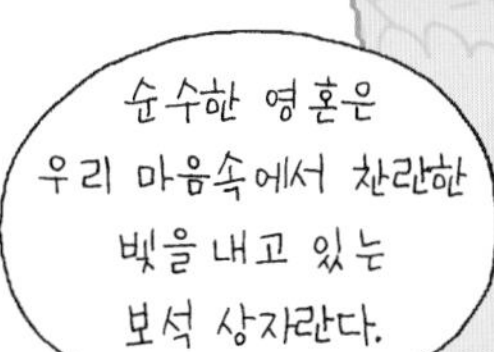

순수한 영혼은
우리 마음속에서 찬란한
빛을 내고 있는
보석 상자란다.

잠시 휴식! 핫케이크를 먹고 〈노트르담의 꼽추〉를 읽어 보세요!

# PART 2

# 명작 읽기

카지모도의 고귀한
사랑에 꽃 한 송이를!

# 명작 읽기

# 1장
## 어두운 숙명

파리 센 강 시테 섬에 자리한 노트르담 대성당은 15세기에도 장엄하고 숭고한 자태를 뽐냈다. 첨탑은 하늘을 찌를 듯했고, 스테인드글라스로 장식한 유리창은 화려하게 빛났다. 대성당 내부는 프랑스의 역대 왕들을 조각해 놓은 조각상들이 이층 회랑回廊을 든든하게 떠받치고 있었다.

노트르담의 종탑은 나선螺旋 계단을 끝까지 올라가야

회랑(回廊) : 사원이나 궁전 건축에서 주요 부분을 둘러싼 지붕이 있는 긴 복도.
나선(螺旋) : 물체의 겉모양이 소라 껍데기처럼 빙빙 비틀린 것.

만날 수 있었다. 그곳에서 사방으로 펼쳐지는 파리의 풍경은 마치 한 폭의 그림 같았다. 종탑 아래로 넓은 그레브 광장이 펼쳐 있었고, 피라미드식 뾰족 지붕들이 우뚝 솟아 있는 파리 시내가 한눈에 들어왔다. 프랑스 최초로 시테 섬에 세워진 왕궁도 웅장함을 자랑하고 있었다. 파리 시내의 건물들은 하나같이 독창적이고 아름다워 보는 이들의 감탄을 불러일으켰다.

그러나 오늘날의 노트르담 성당은 과거의 빛깔을 잃은 채 괴상한 모습으로 바뀌었다. 세월의 때가 묻어서 훼손된 것은 일부에 지나지 않는다. 유행에 따라 건축 양식樣式이 달라지면서 인간에 의해 철저히 파괴되었다.

노트르담 성당의 중앙 홀은 사각기둥이 받치는 첨두아치로 바뀌고, 아름다운 스테인드글라스는 썰렁한 맨 유리로 변했다. 내부의

첨두아치는 꼭대기가 뾰족한 아치를 말해. 고딕 건축 양식의 중요한 특징 가운데 하나란다.

양식(樣式) : 예술 작품이나 건축물 따위에 나타나는 독특한 표현 형식.

조각상들은 흔적도 없이 사라지고, 그 자리에는 새로 유행하는 장식들이 자리잡았다. 그 결과 오늘날의 노트르담 성당은 여러 가지 건축 양식이 뒤섞인 잡종품이 되고 말았다. 유행이 예술품을 망가뜨린 것이다.

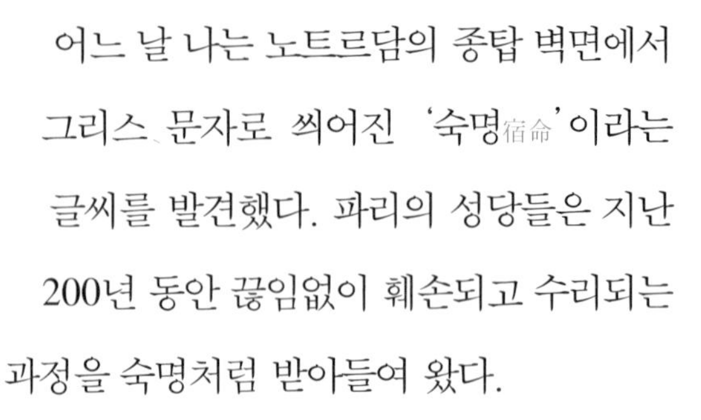

여기서 '나'는 이 작품을 쓴 빅토르 위고를 말한단다. 실제로 위고는 노트르담 성당에 써어진 '숙명'이라는 글씨를 보고 <노트르담의 꼽추>를 썼다고 해.


어느 날 나는 노트르담의 종탑 벽면에서 그리스 문자로 씌어진 '숙명宿命'이라는 글씨를 발견했다. 파리의 성당들은 지난 200년 동안 끊임없이 훼손되고 수리되는 과정을 숙명처럼 받아들여 왔다.

하지만 깊게 조각된 '숙명'이라는 글씨는 겉으로 드러나지 않는 무엇인가를 말하려는 것 같았다. 혹시 누군가 자신의 '운명'에 대해 얘기하고 싶었던 것이 아닐까?

이 이야기는 지금으로부터 350년 전인 15세기 중엽, 옛 고딕식 건축물들이 서로 어깨를 견주며 뽐내

숙명(宿命) : 날 때부터 타고난 운명. 피할 수 없는 운명.

던 파리 시절로 거슬러 올라간다.

클로드 프롤로는 어릴 때부터 부모에게 성직자 교육을 받은 인물이었다. 덕분에 16세에 신학에 관련된 모든 공부를 마칠 수 있었다. 클로드는 만족하지 않고 의학과 어학을 공부하여 그 분야에서 인정받는 전문가가 되었다. 학문은 클로드가 가장 아끼고 사랑하는 모든 것이었다.

1466년, 클로드가 스무 살 되던 해였다. 파리에 흑사병이 퍼지며 많은 사람이 목숨을 잃었다. 흑사병은 페스트균이 일으키는 병으로 인류 역사에 기록된 최악의 전염병이다. 클로드의 부모 역시 흑사병에 걸려 젖먹이 동생을 남겨 놓고 세상을 떠났다. 클로드는 갑자기 어린 동생을 돌봐야 하는 처지가 되었다. 학문 외에도 그가 사랑하며 돌봐야 할 핏덩어리가 생긴 것이었다. 클로드는 동생 장 몰랭을 유모에게 맡겨서 길렀다.

클로드는 그해 신부가 되었다. 교황청에서 클로드를 노트르담 대성당의 부주교 자리에 앉힌 것이다.

부활절이 지나고 첫 일요일 아침이었다. 미사를 마친 신도들이 하나둘 집으로 돌아갈 준비를 할 때였다. 성당 앞뜰에서 우렁찬 아이 울음소리가 들려왔다. 울어대는 아이 주위로 사람들이 웅성거리며 모여들었다. 울면서 버둥거리는 아이는 네 살쯤 되어 보였다.

"에그머니나! 끔찍하게 생겼어."

"이건 어린애가 아냐! 원숭이가 되다 만 것 같아요."

노트르담 성당에 버려진 아기는 누구라도 데려가서 키울 수 있었다. 그러나 보는 것만으로도 소름 끼치는 아이를 데려갈 사람은 없었다.

"악마의 자식이 틀림없어요! 불행이 닥치기 전에 강에 던져 버리거나 불에 태워 버리는 게 좋겠어요!"

사람들은 얼굴을 찌푸리며 고개를 돌렸다. 사람들 틈에서 있던 클로드 신부는 요람 속의 아이를 물끄러미 바라보았다. 그는 유모에게 맡겨 키우고 있는 동생이 떠올랐다. 자라는 동생을 볼 때마다 늘 마음이 애잔했다.

'내가 죽으면 불쌍한 내 동생도 저렇게 버려지겠지.'

괴물이다
저렇게 끔찍한 괴물은 처음 보는걸.
악마다
사람이랑 동물을 합쳐 놓은 것 같아.
악마의 저주를 받고 태어난 게 분명해.
그렇게 말하지 말아요. 저도 고귀한 한 생명이라고요.

클로드 신부는 동생을 떠올리며 아기를 끌어안았다.

"이 아이는 내가 데려다 키우겠소."

모여 있던 사람들이 깜짝 놀라며 소곤거렸다.

"혹시 저 젊은 신부는 마법사가 아닐까?"

"글쎄, 별일이네."

클로드 신부는 아이를 데리고 성당 안으로 사라졌다. 아이는 생각보다 훨씬 흉측했다. 한쪽 눈 위에는 무사마귀가 있었고, 머리는 양어깨 속에 푹 파묻혀 있었다. 게다가 등뼈는 활처럼 휘었고, 가슴은 툭 불거져 나왔고, 다리는 심하게 뒤틀려 있었다. 아이는 태어날 때부터 애꾸, 꼽추, 절름발이였던 것이다. 그러나 내지르는 목소리에는 힘과 건강함이 느껴졌다.

클로드 신부는 동생을 돌보는 마음으로 아이를 키우기로 결심했다. 그래서 아이에게 영세를 주고 양자로 삼아 '카지모도'라는 이름을 붙여 주었다. 카지모도는 '부활절 다음의 첫 일요일'이라는 뜻이었다.

카지모도는 성당 안에 갇힌 채 성장했다. 클로드 신부

는 성당 너머 또다른 세상은 알지 못하도록 카지모도를 키웠다. 카지모도가 누릴 수 있는 자유自由는 성당 안을 마음껏 돌아다닐 수 있다는 것뿐이었다. 성당 안 깊숙한 곳이나 맨 위 꼭대기까지 가 보지 않은 곳이 없었다.

카지모도는 울퉁불퉁한 벽을 마치 도마뱀이 기어올라가듯이 자유자재로 종탑까지 기어 다녔다. 성당 벽을 이리저리 옮겨 다닐 때는 다람쥐처럼 날쌨다.

카지모도에게 말하는 것을 가르치기 위해 클로드 신부는 그야말로 눈물나는 노력을 해야 했다. 카지모도는 자기를 거두어 준 클로드 신부를 친아버지 이상으로 사랑하고 존경했다.

카지모도가 열네 살 되던 해에 클로드 신부는 그에게 종지기를 맡겼다. 노트르담 종탑에는 큰 종 두 개와 열다

자유(自由) : 남에게 얽매이거나 구속받거나 하지 않고, 자기 마음대로 행동하는 일.

섯 개의 작은 종이 있었다. 종지기가 된 카지모도는 세상을 다 얻은 것처럼 좋아했다. 때맞춰 종을 흔들어 세상 사람들에게 알려 주는 기분이란! 그는 종과 하나가 되어 아무도 흉내 내지 못하는 아름다운 음률音律을 만들어 냈다.

그러나 종 치는 일은 카지모도에게 또 하나의 어두운 숙명을 안겨 주었다. 쟁쟁 울리는 종소리가 카지모도의 귀를 멀게 한 것이었다. 그가 세상에서 제일 좋아하던 종소리는 이제 더 이상 들을 수 없었다.

가혹하게도 세상을 향해 열려 있던 하나의 문마저 닫혀 버리고 만 것이었다. 이제 그는 애꾸, 꼽추, 절름발이에 이어 귀머거리까지 되었다. 다행히 말은 배워 벙어리는 되지 않았다.

클로드 신부는 카지모도가 귀머거리가 되자 외출을 허락했다. 기쁨과 설레는 마음을 안고 카지모도는 성당 밖으로 나갔다. 하지만 바깥세상에서 그를 기다리고 있는

음률(音律) : 소리와 음악의 가락.

것은 조롱과 야유뿐이었다.

"세상에서 가장 추한 괴물이 나타났다!"

"노트르담의 종지기가 저런 괴물일 줄이야!"

다행히 카지모도는 사람들이 지껄이는 소리를 듣지 못했다. 그랬기에 클로드 신부가 외출을 허락했으리라.

참, 사람들은 왜 그럴까? 외모는 그다지 중요하지 않은데 말야.

카지모도는 자신이 저주받은 인간이라는 사실을 금세 알아차렸다. 사람들이 던지는 시선에 조롱과 저주만이 담겨 있었기에 카지모도는 증오라는 감정만을 배울 수 있었을까. 깊은 상처를 받은 그의 마음속에서는 사람들을 향한 증오심이 점점 커져갔다.

세월이 흘러 카지모도는 스무 살이 되었고, 클로드 신부는 서른여섯 살이 되었다. 클로드 신부는 오직 하느님을 섬기는 성직자의 역할에 충실하며 학문에 온 열정을 쏟아부었다.

사람들은 클로드 신부를 학식과 덕망德望을 갖춘 조용한 성격의 사람으로 알고 있었다. 그렇지만 그의 내면을 속속들이 아는 사람은 없었다.

노트르담 종탑 위에는 클로드 신부가 꾸며 놓은 작은 방이 있었다. 그는 그곳에 틀어박혀 학문을 탐구하거나 골똘히 생각에 잠기는 버릇이 있었다. 어느 누구도 그의 허락 없이는 그 방을 출입하지 못했다.

클로드 신부는 요즘 동생 때문에 골치를 썩고 있었다. 동생 장 몰랭은 공부보다는 놀고먹는 데 관심이 많았다. 툭하면 형에게 돈을 타 내서는 빈둥거리며 시간을 허비하고 있었다.

클로드 신부는 동생이 누구보다 훌륭한 인간으로 성장하기를 바랐다. 그런데 동생이 허송세월하며 방탕한 생활을 하자 우울한 마음에 종탑 위의 방을 자주 찾았다.

그 무렵 카지모도는 알 수 없는 감정에 휩싸여 가슴이

덕망(德望) : 어질고 너그러운 행실로 얻은 명망.

두근두근거렸다. 그레브 광장에는 날마다 아름다운 젊은 아가씨가 나타나서 춤을 추며 노래했다. 그녀는 떠돌이 집시였다. 그녀가 탬버린을 흔들면 광장에는 사람들이 구름처럼 모여들었다. 카지모도도 사람들의 틈바구니에 끼어 그녀를 본 적이 있었다. 그 뒤로 그만 온 정신을 빼앗기고 말았던 것이다.

집시는 코카서스 인종의
소수 유랑 민족을 말해.
일정한 거주지가 없어
이곳저곳 떠돌며 산단다.

'세상에 천사가 있다면 바로 저 아가씨야!'

카지모도는 가슴이 쿵쿵 뛰었다. 생전 처음 느껴 보는 감정이었다. 어느새 에스메랄다를 향한 사랑이 마음속에 싹튼 것이었다. 클로드 신부 역시 그레브 광장에 집시 아가씨가 나타난 뒤부터 마음이 뒤숭숭해졌다. 아리따운 그녀의 모습이 자꾸만 떠올라 도무지 책이 눈에 들어오지 않았던 것이다.

"아아, 도대체 이 감정은 뭐지?"

클로드 신부는 괴로울 때마다 종탑으로 올라갔다. 그리

눈부시게 아름다운
집시 아가씨가 내 마음을
혼란스럽게 하는군.
와~
아~
하늘에서 내려온
천사 같아.
저는 얼굴도
예쁘지만 마음씨는
더 예쁘답니다.

고 광장에서 춤을 추는 집시 아가씨를 오랫동안 내려다보았다. 클로드 신부는 어느새 종교와 여자 사이에서 갈등하는 평범한 인간으로 변해 있었다. 그것은 크나큰 고통이었다.

번민煩悶에 사로잡힌 클로드 신부는 성당의 주교를 찾아가 집시들이 성당 앞 광장에서 춤을 추고 노래하는 것을 금지하는 포고령布告令을 내려 줄 것을 요청했다. 주교는 머리를 가로흔들었고, 그 소문은 사람들에게 재빠르게 퍼졌다. 사람들은 클로드 신부를 못마땅한 눈초리로 바라보았다.

'그건 내 진심이 아니었어. 난 그녀를 사랑하고 있다고!'

클로드 신부의 눈빛이 무섭게 빛났다. 얼마 뒤 그는 방벽에 이런 글씨를 새겨 놓았다.

'숙명.'

번민(煩悶) : 마음이 번거롭고 답답하여 괴로워 함.

포고령(布告令) : 어떤 내용을 널리 알리는 법령이나 명령.

# 2장
## 꼽추 광인 교황

그레브 광장은 많은 사람에게 즐거움을 주는 장소였다. 거지, 부랑아, 광대, 집시들이 활개 치고 다니며 서로에게 눈요깃거리가 되어 주었다. 제일 큰 구경거리는 공시대와 교수대였다. 공시대는 채찍으로 죄인을 때리는 곳이었고, 교수대는 죄인의 목을 매다는 곳이었다. 그곳에 끌려가면 초주검이 되거나 목숨을 잃었다.

불행하게도 그곳으로 끌려온 사람들 가운데는 억울한 자들이 많았다. 당시 무능하고 부패한 판사들은 사람들에게 말도 되지 않는 죄를 뒤집어씌워 공시대나 교수대로 보냈다.

구경꾼들은 재판 과정보다는 '누가 우리들의 눈을 즐겁게 해 줄 것인가?'에 관심이 컸다. 그래서 억울한 죄인이라도 불쌍히 여기지 않았다. 구경꾼들은 죄인이 광장에 나타나는 순간 재밌는 볼거리를 만난 양 순식간에 형틀 주위를 에워쌌다. 그리고 죄인을 향해 온갖 욕설을 퍼부으며 서슴지 않고 돌팔매질을 했다.

해마다 1월 6일은 파리에서 최고의 볼거리가 있는 날이었다. 그리스도 주현절主顯節과 광인절이 합쳐진 축제일이었기 때문이다. 광인절은 중세의 전통적인 축제로 처음에는 하급 성직자들이 교황을 선출하여 예배 의식을 풍자적으로 흉내 내었는데 성당 안에서 금지되자 지금은 민중들의 놀이가 되었다.

이날 그레브 광장에서는 불꽃놀이가 열리고 브라크 예배당에서는 식목제가, 재판소의 대강당에서는 연극과 광

주현절(主顯節) : 예수가 30회 생일에 세례 요한에게 세례를 받고 하나님의 아들로 공증받았음을 기념하는 날.

인 교황 선발 대회가 열렸다.

올해도 축제일이 되자 재판소의 대강당은 금세 사람들로 가득 찼다. 발 디딜 틈도 없자 사람들은 성스러운 조각상에 올라탔다. 헌병 대원들은 질서를 잡기 위해 몽둥이를 휘두르며 고함을 질러 댔다.

밖이 소란한 가운데 대강당 안에는 바짝 긴장하고 있는 사람이 있었다. 오늘 무대에 오르는 연극의 각본脚本을 쓴 시인 피에르 그랭구아르였다. 연극의 제목은 '성모 마리아의 위대한 심판'이었다. 공연은 12시 정각에 시작될 예정이었다.

그랭구아르는 주먹을 불끈 쥐며 속으로 다짐했다.

'이번 연극을 반드시 성공시켜서 그동안의 실패를 보상받으리라.'

그랭구아르는 시인이 되기까지 우여곡절을 많이 겪었

각본(脚本) : 연극이나 영화를 만들기 위해 쓴 글. 배우의 동작이나 대사, 무대 장치 따위가 구체적으로 적혀 있음.

다. 여섯 살에 고아가 된 그는 열여섯 살 때까지 비렁뱅이 생활을 했다. 그 뒤 군인과 수도사가 되려 했으나 적성에 맞지 않아 중도에 포기했다.

그랭구아르는 방황하다가 우연히 클로드 신부를 만나게 되었다. 그는 클로드 신부에게 라틴 어, 철학, 신학, 연금술 등의 학문을 배웠다. 그에 힘입어 시인이 될 수 있었다.

연금술은 구리, 납, 주석 따위의 비금속을 금, 은 따위의 귀금속으로 변화시키는 일이나 불로장수의 약을 만드는 일을 목적으로 한 원시적인 화학 기술을 말해.

그러나 그랭구아르의 시인 생활은 순탄치 않았다. 그동안 여러 편의 각본을 써서 무대에 올려 보았지만 인정받지 못했다. 게다가 각본료마저 떼먹히는 경우가 많아 그는 항상 가난에 쪼들리는 생활을 했다. 말이 시인이지 하루 끼니를 걱정하는 거지나 다름없었다.

오늘의 무대는 그랭구아르가 큰 행운을 얻을 수 있는 절호의 기회였다. 대강당을 가득 메운 사람들을 감동의

도가니로 몰아넣기만 하면 이름도 날리고 큰돈도 벌 수 있었다. 그러니 어찌 긴장하지 않을 수 있겠는가.

뎅그렁, 뎅그렁.

이윽고 12시 정각을 알리는 종소리가 대강당을 뒤흔들었다. 그런데 부르봉 추기경이 도착하지 않았다는 이유로 연극은 시작을 하지 못하고 있었다. 성미性味 급한 관객들이 불평과 야유를 퍼부었다.

"당장 연극을 시작하라!"

"그렇지 않으면 법원장의 목이라도 매달아라!"

"추기경 따위가 무슨 소용이냐! 이 얼간이들아, 빨리 연극을 시작하란 말이다!"

광인절은 한마디로 '미친 사람들의 날'이었다. 이 날은 민중이 최고의 주인공이었기 때문에 누가 어떤 욕을 하더라도 간섭받지 않았다.

그랭구아르는 진땀을 빼며 얼른 네 명의 배우들을 무대

성미(性味) : 성질, 마음씨, 비위, 버릇 따위를 통틀어 이르는 말.

추기경 따위가 뭐라고 왜 빨리 연극을 안 하는 거야?
오늘은 우리 민중이 최고인 날이라고!
배우들을 빨리 무대에 올려 보내!
오늘 연극을 망치면 안 되는데……. 추기경은 왜 빨리 안 오는 거야?

에 올려 보냈다. 관객들은 추기경이 오기 전에 연극이 시작되자 무척 기뻐했다. 그들은 배우들에게 휘파람을 날리며 아낌없이 박수를 쳐 주었다. 곧이어 배우들이 대사臺詞를 읊조리기 시작했다.

한참 연극이 무르익어 가고 있을 때였다. 어디선가 분위기를 깨뜨리는 한마디가 터져 나왔다.



"한 푼 줍쇼!"

웬 거지가 관객의 시선이 집중되어 있는 무대 중앙에 걸터앉아서 소리쳤다.

"저 비렁뱅이는 클로팽 아냐? 동냥얻을 장소 하나는 잘 잡았군. 옜다, 한 닢 먹어라!"

장 몰랭이 동전 한 닢을 거지의 모자 속에 던져 주었다.

"한 푼 줍쇼!"

대사(臺詞) : 연극이나 영화 따위에서 배우가 하는 말. 대화, 독백, 방백 따위가 있음.

거지는 물러나지 않고 계속 외쳤다. 연극은 잠시 중단되었고, 그랭구아르는 속이 타들어 갔다.

"조용히 해 주세요. 연극을 계속하겠습니다."

연극은 다시 시작되었으나 얼마 진행되지 못하고 중단됐다. 추기경이 도착했기 때문이다.

"추기경 납시오!"

고위 성직자들은 추기경을 귀빈석으로 모셨다. 그런데 거지 클로팽이 어느새 그 자리를 차지하고 벌러덩 누워 있었다. 클로팽은 끝까지 자리를 비켜 주지 않았다. 추기경은 눈살을 찌푸렸다.

"법원장, 저 거지 놈을 당장 강물에 던져 버리시오!"

노여움을 참지 못한 추기경이 고함치자 옷 장수 자크 코프놀이라는 자가 나섰다.

"추기경 각하! 절대 안 됩니다. 이자는 제가 가장 아끼는 친구입니다."

"하하하하!"

관객들은 일제히 웃음을 터뜨렸다. 신분이 낮은 옷 장

수가 추기경 앞에서 거침없이 행동하는 게 통쾌했기 때문이다. 애가 탄 그랭구아르는 발을 동동 구르며 추기경에게 연극을 다시 진행할 것을 간청했다. 추기경이 허락하자 그랭구아르는 배우들을 무대에 오르도록 했다.

"집어 치워라. 광인 교황이나 뽑자."

옷 장수 코프놀의 말에 모두 쌍수雙手를 들어 환영했다.

"듣던 중 반가운 소리로구나."

"찬성이오, 찬성."

그랭구아르는 속이 까맣게 타들어 갔다. 이번 연극마저 실패로 돌아가면 영원히 거지로 살아야 할지도 몰랐다. 남아 있는 관객을 위해서라도 연극을 무사히 끝내야 했다. 그래야 몇 푼의 동전이라도 챙길 수 있었다. 그랭구아르는 몇 남지 않은 관객을 놓고 연극을 계속했다.

광인 교황 선발 대회 준비는 착착 진행되어 갔다. 자격은 남녀 구별이 없었다. 동그랗게 구멍 뚫린 문으로 얼굴

쌍수(雙手) : 오른쪽과 왼쪽의 두 손.

을 내밀고 미친 표정을 짓기만 하면 되었다.

둥근 구멍은 별난 세상을 만들어 냈다. 참가자들은 얼굴 주름살을 오므렸다 폈다 하며 해괴한 표정을 지었다. 그때마다 구경꾼들은 배꼽을 잡았다.

얼마 뒤 광인 교황이 탄생했다. 그는 생긴 모습 그대로 서 있다가 교황으로 뽑히는 행운을 안았다. 폴리페모스처럼 외눈박이에 광대뼈는 툭 불거지고, 삐뚤빼뚤한 앞니가 튀어나온 사나이였다. 구멍 뚫린 문이 치워지자 사나이의 정체正體가 드러났다.

폴리페모스는 그리스 신화에 나오는 외눈박이 거인이란다. 포세이돈의 아들로 오디세우스에게 눈을 찔려 맹인이 되었지.

"노트르담의 꼽추 카지모도다! 우리 형의 종지기다! 카지모도, 잘 있었냐?"

장 몰랭이 그를 알아보고 소리쳤다. 카지모도는 험상궂은 얼굴로 주위를 휘휘 둘러보았다.

그때 짓궂은 학생 하나가 카지모도의 얼굴에 자기 얼굴

정체(正體) : 참된 본디의 형체.

카지모도,
성당에서 종이나 치지
여긴 왜 나타난
거야?
나도
연극을 보고
싶었어요.

을 바짝 들이댔다. 카지모도는 학생의 허리를 낚아채어 멀리 내동댕이쳐 버렸다.

"엄청난 교황이다! 당장 로마 교황을 시켜 줘도 문제없겠는걸."

구경꾼들은 카지모도를 에워싸고 교황과 똑같은 복장으로 꾸며 주었다. 광인 교황 의식에 따라 카지모도는 광장과 네거리를 행차해야 했다.

카지모도가 대강당을 빠져나가는 동안 연극은 절정絶頂으로 치닫고 있었다. 그런데 주피터가 번개를 들고 있는 상황에서 울려야 할 교향악 연주가 멈춰 버린 것이었다.

교향악단은 광인 교황의 행차 행렬에 끼어 밖으로 나가고 있었다. 그랭구아르의 두 눈에는 눈물이 핑그르르 돌았다.

그때 창가에서 바깥을 보고 있던 학생이 소리쳤다.

"에스메랄다다! 에스메랄다가 광장에 나타났다!"

절정(絶頂) : 극이나 소설의 전개 과정에서 갈등이 최고조에 이르는 단계.

그랭구아르는
에스메랄다를 아직
한 번도 보지
못했나 봐!


"에스메랄다가 나타났다고?"

사람들은 쏜살같이 달려 나갔다.

'에스메랄다는 또 뭐야?'

그랭구아르가 머리를 갸우뚱하는 사이 대강당은 텅 비어 버렸다.

"이 어리석은 인간들아, 연극을 보러 와서 어디다 한눈을 파는 게냐. 거지 클로팽! 위선자 추기경! 광인 교황! 에스메랄다! 그것들이 성모 마리아보다 위대하단 말이냐? 나는 성모 마리아가 약장수보다 못하다는 것을 오늘에서야 똑똑히 알았다. 아, 가엾고 불쌍한 시인의 신세여!"

그랭구아르는 미치도록 화가 나서 신세타령을 했다.

# 3장

## 집시 처녀 에스메랄다

어느새 파리는 어둠에 잠겨 있었다. 그러나 축제의 열기는 식을 줄 몰랐다. 곳곳에 횃불이 밝혀지고 사방에서 불꽃놀이가 한창이었다.

그랭구아르는 한 조각의 빵과 따스한 잠자리를 그리워하는 자신의 신세가 처량해 한숨이 절로 나왔다.

"빌어먹을! 축제가 다 뭐람. 다리 뻗고 누울 자리나 있었으면 좋겠네. 어차피 갈 곳 없는 이 신세, 그럴 바엔 차라리 축제의 불구덩이 속으로 뛰어들리라! 그리하면 따뜻한 화톳불에 몸도 녹이고 빵 한 조각이라도 얻어 먹을 수 있으리!"

그랭구아르는 시인답게 독백獨白을 한 뒤 그레브 광장으로 발걸음을 옮겼다. 광장에는 수많은 구경꾼들이 한 여자에게 넋을 빼앗기고 있었다. 그녀는 카지모도와 클로드 신부, 군중들의 마음까지 홀랑 빼앗아 간 에스메랄다였다.

'호! 무척 아름다운걸.'

그랭구아르는 처음 본 집시 아가씨에게 온 정신이 팔렸다. 그녀는 긴 생머리에 까만 눈동자, 뽀얀 얼굴, 잘록한 허리를 자랑하며 매력적인 춤을 추고 있었다. 양탄자 위에서 탬버린을 찰랑찰랑 흔들며 리듬에 맞춰 몸을 움직일 때는 마치 천사가 지상으로 내려오는 듯했다.

군중은 숨을 죽이고 그녀의 몸짓 하나, 노랫소리 하나 놓치지 않고 있었다. 그랭구아르는 그녀가 부르는 노래가 어찌나 맑고 감미로운지 하마터면 눈물을 흘릴 뻔했다.

얼마 뒤 에스메랄다는 춤을 멈추고 가쁜 숨을 몰아쉬었

독백(獨白) : 혼자서 중얼거림.

다. 사람들은 박수를 치며 다시 춤을 추라고 재촉했다.

그러자 에스메랄다는 쌩긋 웃고는 잘리를 불렀다. 잘리는 에스메랄다가 그림자처럼 데리고 다니는 양이었다. 에스메랄다가 부르는 소리에 한쪽 구석에 앉아 있던 흰 양이 다가왔다.

"잘리야, 지금 몇시지?"

에스메랄다가 묻자 잘리는 앞발로 작은북을 일곱 번 쳤다. 때맞춰 광장의 시계탑 바늘이 일곱 시를 가리켰다.

"우아! 정말 신통하다."

군중은 놀라워 소리쳤다. 에스메랄다 앞에는 동전이 수북이 쌓였다.

그러나 방해꾼도 있었다.

"저것은 신을 부정하는 행위다. 속임수가 분명해."

"못된 마녀 집시야, 썩 물러가라!"

중세 시대 유럽을
떠돌아다니던 집시들
대부분은 마술사였다는데
에스메랄다도 마술사였나?


한 사람은 망토로 얼굴을 가린 클로드 신부였다. 클로

저 집시 아가씨가
내 마음을 온통
빼앗아 가 버렸어.
파리에서
최고 인기는
나의 춤과
노래예요.
나도 파리에서
인기 좀 있어요.

왜 그래요,
할머니. 우린 정말
즐거운데……
집시 마녀야!
썩 꺼지지
못해!
오! 내 아무리
시인이라지만 저 천사 같은
집시 아가씨에게 바칠
찬사가 떠오르지 않는걸.

평생 순결을 지키며
하느님께 삶을 바치겠다는
약속을 한 성직자는 사랑이라는
감정을 절제해야 한단다.

드 신부는 에스메랄다 주위를 맴돌며 그녀의 행동 하나하나를 눈여겨보았다. 마음속으로는 에스메랄다를 좋아하면서 겉으로는 아닌 척하며 지내느라 무척 괴로운 나날을 보내고 있었다.

또 한 사람은 집시를 끔찍하게 싫어하는 노파였다. 노파는 롤랑 탑의 채광창採光窓이 있는 독방에서 살고 있었다. 노파는 집시만 보면 치를 떨며 끔찍한 저주를 퍼부었다. 지금으로부터 16년 전 노파는 파게트라는 이름으로 불렸다. 그녀는 당시 귀엽고 예쁜 딸을 낳아 아네스라는 세례명을 붙여 주었다.

파게트가 어느 날 집을 잠시 비운 사이에 넉 달밖에 되지 않은 아네스가 사라지고 없었다. 어떤 집시 여인이 아기 요람을 바꿔치기해 갔던 것이다. 집시 여인이 놓고 간

채광창(採光窓) : 햇빛을 받기 위하여 내는 창문.

요람에서는 한쪽 눈이 무사마귀로 덮인 흉측한 아이가 울고 있었다.

파게트는 집시 마녀가 아기를 데려갔다며 한동안 미친 사람이 되어 날뛰고 다녔다. 그녀는 아네스가 남기고 간 꽃신 한 짝을 가슴에 안고는 눈물로 나날을 보냈다. 꽃신은 사랑하는 딸을 위해 그녀가 손수 짜 준 것이었다.

그 뒤 파게트는 자식을 잃은 어미로서의 죄를 씻기 위해 채광창 독방에 들어와 살았다. 성당에서 신앙심이 깊은 신자들을 위해 무료로 내준 독방이었다. 그녀는 감옥 같은 독방에서 신자들이 나눠 주는 음식을 받아먹으며 목숨을 이어 왔다. 그렇게 살아온 세월이 벌써 16년이나 되었던 것이다.

"앙큼하고 요상한 집시야! 지옥에나 떨어져라!"

에스메랄다를 향한 노파의 저주는 계속되었다. 구경꾼들은 흥겨운 분위기를 깨뜨리는 노파를 불쾌하게 생각했다. 누군가 맞장구를 놓으며 저주를 퍼부었다.

"이 늙은 할망구야, 당신이야말로 지옥에나 가시지!"

축제의 흥겨움은 한순간에 깨졌다. 광인 교황 행렬이 광장 안으로 들어오자 에스메랄다가 짐을 챙겨 떠나 버렸던 것이다.

광인 교황의 행차 행렬은 끝이 없었다. 새 광인 교황의 탄생을 축하하기 위해 몰려든 파리 시민들의 행렬은 꼬리에 꼬리를 물고 이어졌다.

사람들에게 손가락질만 받던 카지모도는 오늘만큼은 세상에서 가장 주목받는 주인공이 되어 있었다. 그는 마치 진짜 교황이라도 된 양 들것을 타고 앉아 의기양양한 표정으로 군중의 환호를 받고 있었다.

바로 그때였다. 클로드 신부가 느닷없이 튀어나와 교황을 상징하는 금빛 지팡이를 빼앗았다. 성직자들에게 광인 교황식은 실제 교황을 욕보이는 짓이나 마찬가지였다. 그런데 카지모도가 그 일에 앞장서고 있으니 클로드 신부는 단단히 화가 났던 것이다.

군중은 갑작스럽게 벌어진 일에 기겁을 하면서 한마디씩 던졌다.

"우리 축제에 신부가 왜 끼어드는 것이냐!"

"무시무시한 꼽추를 잘못 건드렸으니 갈비뼈가 부러지고 말 것이다!"

"암, 오늘밤을 고이 넘기긴 어려울걸."

군중은 클로드 신부가 카지모도에게 틀림없이 큰 봉변을 당할 것이라고 생각했다. 카지모도가 들것에서 황급히 뛰어내리자 여자들은 클로드 신부가 피투성이가 되는 모습을 보지 않으려고 고개를 돌렸다.

"아니 저게 뭐야?"

군중은 의아한 눈빛으로 서로를 바라보았다. 들것에서 뛰어내린 카지모도가 클로드 신부 앞에 무릎을 꿇었던 것이다. 누가 뭐래도 클로드 신부는 카지모도를 키워 준 은혜恩惠로운 주인님이 아니었던가!

"거참, 별일이군."

카지모도는 자기를
거두어 키워 준 클로드
신부를 존경하며
사랑하고 있단다.

은혜(恩惠) : 고맙게 베풀어 주는 신세나 혜택.

군중이 웅성대는 틈을 타 클로드 신부는 카지모도를 끌고 가려고 했다.

"우리의 교황을 놔 두어라."

"아직 교황 행차 의식이 끝나지 않았다."

군중은 클로드 신부 앞에 막아섰다. 그러자 카지모도가 괴물 같은 소리를 내지르며 주먹을 휘둘렀다. 기세에 눌린 구경꾼들이 물러나자 길이 열렸다. 카지모도는 클로드 신부와 함께 어두운 밤길로 사라졌다. 광인 교황이 사라지자 구경꾼들은 뿔뿔이 흩어졌다.

그랭구아르는 어디로 가야 할지 몰라 사방을 둘러보았다. 그때 어디론가 향하고 있는 집시 아가씨가 눈에 띄었다. 그랭구아르는 무작정無酌定 그녀의 뒤를 쫓았다.

'떠돌이 집시라도 밤에 쉴 보금자리는 있겠지? 한 귀퉁이라도 얻어 이 한 몸 뉠 수만 있다면 오늘 하룻밤은 보낼 수 있을 거야.'

무작정(無酌定) : 얼마라든지 혹은 어떻게 하리라고 미리 정한 것이 없음.

그랭구아르는 멀찌감치 떨어진 채 에스메랄다의 뒤를 조용히 따랐다. 에스메랄다는 생 지노상 묘지 근처의 좁은 골목길로 들어섰다. 그러고는 눈 깜짝할 사이에 사라지고 말았다.

'아니, 어디로 사라진 거지?'

그랭구아르는 이 골목 저 골목을 샅샅이 살펴보았다. 처음 와 본 골목이라 어디가 어딘지 알 수 없었다.

그때였다. 에스메랄다의 비명과 동시에 양이 우는 소리가 들려왔다.

"살려주세요!"

"매애애애!"

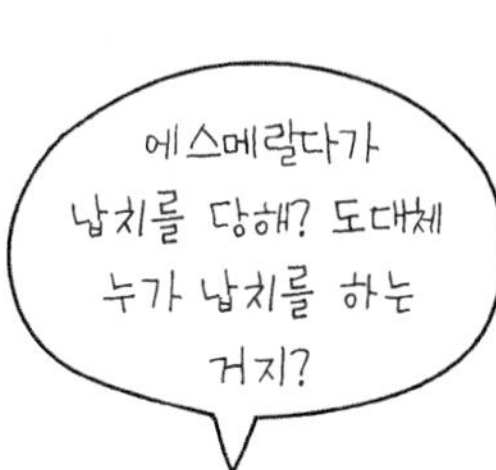


깜짝 놀란 그랭구아르는 소리가 나는 쪽으로 달려갔다. 두 괴한이 발버둥치는 에스메랄다를 끌고 가려 하고 있었다.

"누구 없어요? 좀 도와주세요."

소리치며 달려가던 그랭구아르는 우뚝 멈춰 섰다. 에스메랄다를 납치하려는 사람들은

클로드 신부와 카지모도였다.

사태를 파악하지 못한 그랭구아르는 어찌해야 좋을지 몰라 우물쭈물했다. 그때 카지모도가 그랭구아르의 목덜미를 덥석 잡아챘다. 바동거리던 그랭구아르는 이내 개골창으로 처박혔다.

카지모도는 에스메랄다를 들쳐 업고는 어둠 속으로 사라졌다.

"사람 살려요! 살려주세요!"

에스메랄다가 발버둥을 치며 비명을 질러 댔다.

"삑삑!"

"거기 멈춰라!"

때마침 주위를 순찰 중이던 헌병대가 납치범들을 발견하고는 뒤쫓았다.

클로드 신부는 비겁해. 카지모도를 놔두고 혼자 도망을 치잖아.

카지모도는 에스메랄다를 한 팔로 끌어안고 도망칠 길을 찾았다. 위험을 알아차린 클로드 신부는 혼자 뒷골목으로 도망쳐 버렸다.

헌병대에 포위 당한 카지모도는 어찌할 바를 몰라 그 자리에서 빙빙 돌기만 했다.

"네 놈은 뭐하는 놈이냐? 어서 빨리 여자를 내려놓지 못하겠느냐?"

헌병대 대장이 달려오며 소리쳤다. 그러고는 카지모도의 팔에서 에스메랄다를 빼앗아 자기가 타고 있던 말 등에 앉혔다.

"저 녀석을 꽁꽁 묶어라!"

헌병대원들은 카지모도를 때려눕히고 밧줄로 옭아맸다. 카지모도는 발버둥치며 애처로운 눈빛으로 에스메랄다를 바라보았다. 하지만 에스메랄다의 눈길은 자기를 구해 준 구원자의 얼굴을 향하고 있었다. 에스메랄다의 가슴은 콩콩 뛰었다.

"훌륭하신 나리의 이름을 알고 싶어요."

"페뷔스라고 하오, 아름다운 아가씨."

"구해 주셔서 고맙습니다."

에스메랄다는 수줍게 인사하고 말에서 뛰어내렸다. 그

구해 주셔서
고마워요.
어여쁜 아가씨,
이제 안심해요.
힘이 왜 이렇게
센 거야?
그러게 말야.
힘이 장사야.
안 돼!
저 어여쁜 아가씨는
내가 데려가야 해!

러고는 바람처럼 골목 안으로 사라져 버렸다.

"젠장, 이런 괴물보다는 저 아가씨를 붙잡아 두었으면 좋았을걸!"

"두말하면 잔소리죠. 대장님, 꾀꼬리는 날아가고 괴물만 남았군요."

페뷔스가 아쉬워하자 헌병대원이 대꾸했다.

헌병대가 떠난 뒤 의식을 잃었던 그랭구아르는 정신을 차리고 일어났다. 개골창에 처박혔던 탓에 옷이 흠뻑 젖어 있었다.

"망할 놈의 꼽추 같으니라고! 그런데 스승님은 왜 집시 아가씨를 납치하려고 한 거지?"

그랭구아르는 더 이상 깊이 생각할 수 없었다. 물에 젖은 온몸이 사시나무 떨리듯 떨려와 빨리 몸을 녹이고 싶은 생각밖에 없었다. 그랭구아르가 화톳불을 찾아 주위를 두리번거리고 있을 때였다. 사방에서 앉은뱅이, 애꾸, 장님, 절름발이, 문둥이, 곰배팔이가 쏟아져 나왔다.

"나리! 한 푼 줍쇼!"

"도와줍쇼!"

동냥아치들이 그랭구아르의 발목을 잡고 애원했다.

"웬 거지들이 이렇게 많아? 난 지난주에 마지막 남아 있던 외투를 팔아 버렸다고. 그나저나 여긴 어디지?"

"흐흐흐, 기적궁이다."

한 거지가 음흉하게 웃으며 대꾸했다.

앉은뱅이로 장님으로 구걸하다 기적궁에 들어오면 장님이 눈을 뜨고 앉은뱅이가 벌떡 일어서 기적궁이라는 이름을 붙였대.


기적궁은 거지들의 소굴이었다. 멀쩡한 사람이 그곳에 들어갔다가는 가진 것을 모두 털려 낮에는 거지 신세가 되고, 밤에는 불한당으로 변한다는 곳이었다. 이곳에는 세상으로부터 버림받은 자들이 꿈 같은 기적奇蹟을 바라며 모여 살았다.

"저 녀석을 왕에게 끌고 가자."

앉은뱅이가 벌떡 일어나며 말했다. 그러자 애꾸와 장님이 눈을 뜨고 절름발이는 멀

기적(奇蹟) : 상식으로는 생각할 수 없는 기이한 일.

쩡한 다리로 달려왔다. 그랭구아르는 그 자리에서 기적을 확인했다.

동냥아치들은 그랭구아르를 자기네 왕 앞으로 끌고 갔다. 그들이 왕이라고 하는 자는 누더기를 걸치고 그럴듯한 왕관을 쓴 채 술통 위에 앉아 있었다.

그랭구아르는 그자를 한눈에 알아보았다. 그는 "한 푼 줍쇼!"로 연극을 망쳐 놓았던 클로팽이었다. 그랭구아르는 클로팽을 보자 분노가 치밀어 올랐다. 그런데 클로팽이 기적궁의 왕이라잖은가.

클로팽은 그랭구아르를 쏘아보며 물었다.

"그대는 누구냐? 왜 허락도 없이 우리 왕국에 마음대로 침입했지?"

"저는 피에르 그랭구아르입니다. 오늘 낮에 재판소 대강당에서 있었던 연극의 각본을 쓴 시인이지요. 어쩌다가 길을 잘못 들어 이곳까지 흘러들어 오게 되었어요."

그랭구아르가 클로팽의 눈치를 살피며 대답했다.

"흥, 형편없는 연극으로 우리를 짜증나게 했던 그자란

기적궁의 판사는
전 세계 어디에도
없는 판결을 내리는군.

말이지? 그대는 기적궁 바깥에서는 그대들의 법으로 우리를 다스린다는 것을 잘 알 것이다. 마찬가지로 우리 왕국의 법대로 그대를 다스리겠노라. 그대는 거지도, 도둑도, 병신도 아닌 시인이므로 교수형에 처한다. 유언을 남겨라!"

클로팽이 가차 없이 말하자 그랭구아르는 온몸이 덜덜 떨렸다. 한편으로는 말도 되지 않는 판결에 속이 뒤집어졌다.

"기적궁에 시인이 끼면 왜 안 된다는 거지요? 이 판결은 엉터리예요."

"몹시 따지는 놈이군. 방정 떨지 마라. 살고 싶으면 우리 패에 들어와서 거지가 되어라."

"좋습니다. 사실 저는 오늘 연극이 실패하는 그 순간부터 거지나 다름없는 몸이 되었죠."

"네가 원한다고 거지가 되는 것이 아니다. 거지가 될 자격이 있는지 시험해 봐야겠다."

클로팽이 눈짓을 하자 거지들이 교수대를 세우고 허수아비를 밧줄에 묶어 대롱대롱 매달아 놓았다. 그 밑에는 흔들의자가 놓여 있었다.

"흔들의자에 한 발로 서서 허수아비 주머니 속에 있는 지갑을 꺼내라. 방울이 울리면 그대는 교수형이다."

허수아비의 몸에는 크고 작은 방울들이 줄줄이 매달려 있었다. 신의 손을 갖고 태어난 소매치기라도 방울 소리를 내지 않고 지갑을 터는 것은 불가능해 보였다. 클로팽은 한숨이 나왔다.

"지갑을 털기 전에 의자에서 떨어져 목뼈가 먼저 부러지겠군요. 만일 제가 성공하면요?"

"여드레 동안 밤낮으로 두들겨 맞을 것이다. 거지가 되려면 몸을 단련鍛鍊시켜야 하니까. 그게 바로 우리의 법이다."

그랭구아르는 이래저래 꼼짝없이 죽을 팔자였다. 당장은 딸랑딸랑 소리에 자신의 목숨이 걸려 있다는 것이 분

단련(鍛鍊) : 몸과 마음을 굳세게 함.

하고 원통했다. 그랭구아르는 어쩔 수 없이 허수아비에 손을 뻗었다. 이내 방울 소리가 요란하게 울렸고, 그는 보기 좋게 바닥으로 고꾸라졌다.

"당장 저놈의 목을 매달아라!"

클로팽이 명령하자 그랭구아르의 얼굴이 새하얗게 질렸다. 클로팽의 부하 한 사람이 밧줄을 가지고 왔다.

'내가 이렇게 쉽게 죽을 운명일 줄이야. 좀 억울한걸.'

클로팽이 손을 쳐들면 그랭구아르의 목에는 밧줄이 걸리고 그럼 이제 이 세상에서 그를 볼 수 있는 사람은 아무도 없는 것이다.

"잠깐! 교수형을 치르기 전에 한 가지 의식이 빠졌다. 저놈을 남편으로 삼고자 하는 집시 여인이 있는지 알아봐야겠다. 그대는 집시 여인의 선택을 받지 못하면 오늘밤 밧줄과 결혼하게 될 것이다."

그랭구아르에게 주어진 마지막 기회였다.

집시의 전통에 따라 여자 서너 명이 그랭구아르에게 다가갔다. 그러고는 한 사람씩 그랭구아르의 몸에 코를 대고 킁

쿵 거렸다.

"그냥 목을 매다는 게 낫겠어요."

집시 여인들은 싸늘하게 한마디 던지고는 모두 가 버렸다. 마지막 희망마저 산산조각 나 버리자 그랭구아르의 눈에서는 눈물이 주르르 흘러내렸다.

크크, 거 봐!
깨끗이 씻고 다녀야지.
안 씻어서 냄새가 나니
모두들 싫다잖아.


"에스메랄다다! 그녀가 나타났다!"

누군가 소리치자 모두 그녀에게 길을 내주었다.

'앗! 저 아가씨는 광장에서 춤을 추었던……. 그녀가 바로 에스메랄다였구나!'

그랭구아르는 그제야 그녀 이름을 알게 되었다. 에스메랄다는 클로팽에게 다가가 물었다.

"이 남자의 목을 매다시려는 거예요?"

"물론이지. 네가 저놈을 남편으로 삼지 않는다면."

"좋아요. 제가 이 남자를 남편으로 삼겠어요."

그랭구아르는 지옥에서 천당의 문에 들어선 기분이었

부럽다.
내가 십 년만 젊었어도…….
제가 저 남자를 남편으로 삼겠어요.
에스메랄다, 나중에 후회하면 어쩌려고?
오, 파리에서 제일 아름다운 아가씨가 날 남편으로 삼겠대.
에스메랄다, 이제 그랭구아르는 4년 동안 네 남편이다.

다. 세상에 기적이 있다면 이보다 더 큰 기적은 없으리라. 기적궁은 과연 놀라운 기적을 만들어 내고 있었다.

'아, 천사 같은 이 아가씨가 내 목숨을 구해 주고 더구나 내 아내가 되겠다고? 믿을 수가 없어!'

에스메랄다는 항아리 한 개를 들어서 그랭구아르 앞에 내던졌다. 항아리는 산산조각이 났다.

"이로써 두 사람이 부부가 되었음을 선언宣言하노라! 기간은 4년 동안이다."

클로팽이 말했다.

그랭구아르는 에스메랄다가 분명 자기를 좋아해서 자기를 구해 준 것이라 믿었다.

'나를 남편으로 맞이해 주다니……. 나를 사랑하는 게 틀림없어.'

그랭구아르는 감격에 겨워 에스메랄다의 손을 꼭 잡으며 말했다.

선언(宣言) : 국가나 단체가 방침, 주장 따위를 정식으로 공표함.

"사랑스러운 에스메랄다, 저는 피에르 그랭구아르입니다. 당신을 아내로 맞이하게 된 것을 기쁘게 생각해요."

에스메랄다는 그랭구아르의 손을 냉정하게 뿌리쳤다.

에스메랄다는
얼굴만 예쁜 게 아니라
천사처럼 마음씨도 예뻐.

"오해誤解하지 마세요. 저는 단지 사람이 죽는 걸 보고 싶지 않았을 뿐이에요. 제가 진심으로 좋아하는 사람은 따로 있어요. 아시겠어요?"

그랭구아르는 눈 깜짝할 사이에 천당에서 지옥으로 떨어진 기분이었다.

"에스메랄다, 당신의 마음을 사로잡은 사람은 어떤 남자죠?"

"여자를 지켜 줄 줄 아는 듬직한 사람이에요. 허리에 긴 칼을 차고 말을 타고 다니는 분이죠."

에스메랄다는 헌병대 대장을 떠올리며 말했다. 그날 밤

오해(誤解) : 어떤 사실에 대하여 그릇된 판단을 내림.

납치 사건 이후 에스메랄다의 머릿속에는 페뷔스밖에 없었다.

"쳇, 말 한 마리 없는 게 한이로군. 예쁜 아가씨, 이래 봬도 나는 시인이라오. 나를 당신 곁에 있게 해 주세요. 당신을 위해서라면 무엇이든지 하겠어요."

"시인이라고 했나요? 그럼 '페뷔스'가 무슨 뜻인지 알겠군요."

"라틴 어로 '태양'을 뜻하지요. 잘생긴 명사수名射手였던 신의 이름이기도 하고요."

"신이라고 했나요?"

에스메랄다는 깊은 생각에 잠긴 채 중얼거렸다.

명사수(名射手) : 총이나 활 따위를 썩 잘 쏘는 사람.

# 4장

## 외눈에서 흐르는 눈물

주현절과 광인절 축제가 끝난 다음 날 아침 일찍 샤틀레 재판소가 문을 열었다. 많은 사람이 새벽부터 몰려들어 재판소는 미어터질 지경이었다. 장 몰랭 역시 일찌감치 재판소의 방청석에 앉아 있었다. 그는 재미난 사건이 벌어지는 곳이라면 어디서나 틀림없이 만날 수 있는 인물이었다.

"오늘은 누가 벌금 왕으로 뽑혀서 주머니가 털릴지 궁금해지는군."

장 몰랭이 혼잣말로 중얼거리자 앞에 앉아 있던 방청객이 물었다.

“젊은이, 그게 무슨 소리야?”

“판사들은 죄인들에게 쓸데없이 무거운 벌금을 물려요. 왜냐고요? 재판이 열리기 전에 로베르 시장은 담당 판사들을 불러 놓고 엄청나게 괴롭히거든요. 그러면 판사들은 열통이 터져 죄인들에게 화풀이를 하지요. 이때 화풀이의 대가가 무거운 벌금이고, 재수 없는 죄인은 가장 많은 벌금형을 선고받지요. 이 돼먹지 않은 짓은 파리 시의 금고를 채워 주는 일등 공신이에요. 하지만 어쩌겠어요? 파리 시의 전통인 걸요.”

장 몰랭은 고개를 절레절레 흔들며 대꾸했다.

이윽고 플로리앙 판사가 입장하자 재판이 시작되었다. 플로리앙 판사는 귀머거리였기 때문에 죄인에게 사건 내용을 읽어 준 뒤 미리 정해 놓은 벌금을 물렸다. 그래서 방청객은 플로리앙 판사가 귀머거리인지 알지 못했다. 하지만 장 몰랭과 그의 친구 로뱅은 이 사실을 알고 있었다.

“젠장, 이제는 귀머거리 판사까지 내보냈군. 죄인의 말은 들어볼 것도 없다는 얘기인가?”

"당연하지. 시간을 아껴서 많은 죄인에게 벌금을 물려야 하니까."

"묵주알 두 개를 지녔다고 벌금이 15솔 4드니에! 주사위 두 개를 던졌다고 은화 100리브르라! 한심하군."

두 친구가 말을 주고받고 있을 때 판사 앞으로 낯익은 사람이 끌려 나왔다.

"앗! 우리의 광인 교황 카지모도 아냐? 대체 무슨 잘못을 저질렀지?"

장 몰랭이 벌떡 일어나며 소리쳤다.

카지모도는 밧줄로 꽁꽁 묶인 채 끌려 들어왔다. 플로리앙 판사는 카지모도를 보자마자 눈을 감아 버렸다. 흉측한 카지모도의 얼굴을 보며 심문審問하고 싶지 않았던 것이다. 플로리앙 판사는 눈을 감은 채 심문을 시작했다.

"이름이 무엇인가?"

심문(審問) : 법원이 당사자나 그 밖에 이해관계가 있는 사람에게 서면이나 구두로 개별적으로 진술할 기회를 주는 일.

앗, 카지모도다! 왜 끌려온 거지?
생긴 건 흉측해도 그리 나쁜 사람 같지는 않아 보여.
에스메랄다 아가씨가 자기를 납치하려 한 날 어떻게 생각할까?

귀머거리 판사는 카지모도가 귀머거리인 줄은 꿈에도 모르고 있었다. 다음 심문이 이어졌다.

"좋아, 나이는 몇 살인가?"

"……."

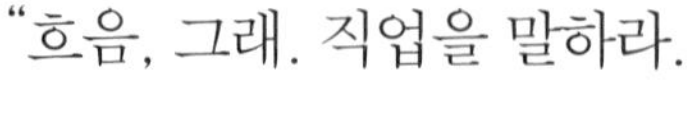

판사님들, 클로드
신부가 진짜
범인이라고요!


"흐음, 그래. 직업을 말하라.

"……."

카지모도가 계속 침묵하고 있는데도 판사가 재판을 계속 진행하자 방청객이 수군거리기 시작했다. 그러나 귀머거리 판사는 카지모도가 말을 끝마쳤을 거라고 생각됐을 때 말을 이었다.

"피고는 한 여자를 납치한 파렴치범으로 이 법정에 섰다. 억울하다고 생각되면 말하라. 서기는 지금까지 피고가 말한 것을 모두 기록하였는가?"

판사의 질문에 방청객들은 폭소를 터뜨렸다. 폭소는 걷잡을 수 없이 번져 나갔다. 폭소가 격렬해지자 귀머거리 판사조차 재판정에 무슨 일이 벌어졌음을 알아챘다.

플로리앙 판사가 웃음거리가 되자 지켜보던 로베르 파리 시장은 화가 났다. 그는 카지모도를 노려보며 준엄峻嚴하게 심문을 시작했다.

"네 죄가 무엇인지 아느냐?"

로베르 시장의 표정이 심상치 않음을 깨달은 카지모도는 시장이 자기 이름을 묻는 줄 알고 목구멍에서 끌어 올린 쉰 목소리로 대답했다.

"카지모도, 카지모도입니다."

방청석은 또다시 웃음바다가 됐다. 얼굴이 붉으락푸르락해진 시장이 소리쳤다.

"이 고얀 녀석! 네가 시장인 나를 우롱하는게냐?"

"저는 노트르담의 종지기입니다."

카지모도는 판사가 자기의 직업을 묻는 줄 알고 이렇게 대답했다.

방청석은 완전히 뒤집어졌다. 방청객은 발을 구르고 손

준엄(峻嚴) : 조금도 타협함이 없이 매우 엄격함.

뻑을 쳐 대며 웃었다.

"저 녀석을 당장 그레브 광장의 공시대에 세워라! 그리고 한 시간 동안 매우 쳐라!"

화가 머리끝까지 치민 시장은 멋대로 판결을 내렸다. 이를 지켜보던 장 몰랭은 큰 소리로 중얼거렸다.

"제기랄, 훌륭한 판결이군!"

로베르 시장은 그 말을 카지모도가 한 것인 줄 알았다.

"저놈이 법정을 모독冒瀆하는구나. 서기, 파리 주화 12드니에를 저놈에게 벌금으로 추가하라."

로베르 시장은 퇴장했고 카지모도는 영문을 모른 채 우두커니 서 있었다. 잠시 뒤 카지모도는 손을 뒤로 묶인 채 그레브 광장의 공시대로 끌려갔다. 구경꾼들은 벌써 공시대 주위를 빙 둘러싸고 있었다.

카지모도는 수레 뒤에 꽁꽁 묶인 채 그레브 광장에 도착했다. 환호성과 웃음 섞인 야유가 광장에 울려 퍼졌다.

모독(冒瀆) : 말이나 행동으로 더럽혀 욕되게 함.

잠시 뒤 형틀에 묶인 카지모도에게 채찍질이 계속되었다. 카지모도의 살갗은 이내 터지고 온몸에서는 피가 흘렀다. 흉측한 얼굴이 고통으로 더욱 흉측하게 일그러졌다.

채찍질이 모두 끝나자 카지모도는 앞으로 고꾸라졌다. 군중은 야유를 보내며 일어나라고 소리쳤다. 카지모도를 가엾게 여기는 사람은 거의 없었다. 모두 이 광경을 즐기고 있을 뿐이었다.

카지모도는 군중 속에서 자기를 구원해 줄 유일한 사람과 눈이 마주치자 얼굴 가득 환한 웃음을 지었다. 그는 클로드 신부였다. 하지만 클로드 신부는 카지모도를 외면하고 군중 사이로 몸을 감췄다. 절망한 카지모도는 비틀린 다리 사이로 머리를 처박고 슬픔에 빠졌다.

학식이 높고
고귀한 성직자 신분의
클로드 신부보다 영혼이
맑고 깨끗한 카지모도가
더 훌륭해.


'주인님, 주인님이 나를 버렸어. 내가 왜 여기서 이 고통을 당하고 있는데? 주인님 때문이었어. 주인님이 집시

아가씨를 납치하라고 시켰잖아. 아! 아니야. 나도 그 집시 아가씨를 사랑했어. 내가 좋아서 한 일이야. 주인님은 아무 상관도 없어.'

일그러졌던 카지모도의 얼굴이 평안을 되찾았다.

"물! 물 좀 줘!"

카지모도는 목이 타서 몸부림을 치며 외쳤다.

"우리의 교황님께서 물을 달랍신다! 자, 마셔라!"

군중은 카지모도를 향해 돌멩이와 온갖 쓰레기들을 빗발치듯 던졌다. 카지모도의 눈에 증오와 분노의 불꽃이 이글거렸다. 바로 그때 누군가 구경꾼들을 헤치고 카지모도를 향해 걸어갔다.

"에스메랄다다."

"뭐하려는 거지?"

에스메랄다는 카지모도 앞에 멈춰 섰다. 그녀는 허리춤에 차고 있던 물통을 풀어 가엾은 카지모도의 입에 갖다 댔다. 카지모도의 눈에서 굵은 눈물방울이 흉측한 얼굴 위로 주르르 흘러내렸다. 지금까지 절망과 분노의 감정만

역시 에스메랄다는 아름다운 영혼을 가졌어.
이 집시 마녀야. 내 눈앞에서 당장 사라져!
얼마나 목이 마르실까? 여기 물 가져왔어요.
아가씨, 나는 아가씨를 납치하려던 나쁜 사람이라고요.

이 담기던 카지모도의 눈동자에 벅찬 감동의 빛이 일렁였다. 한동안 에스메랄다를 바라보던 카지모도는 정신없이 물을 벌컥벌컥 들이켰다.

군중은 감동하여 환호성을 지르며 박수를 쳐 주었다.

"훌륭하다, 훌륭해! 에스메랄다!"

카지모도는 꿈을 꾸고 있는 것만 같았다.

'아름다운 당신은 마음씨도 따뜻하군요. 나는 당신에게 못된 짓을 했는데……. 당신은 내게 은혜를 베푸시는군요. 고마워요.'

카지모도는 눈물이 그렁그렁한 한쪽 눈으로 에스메랄다를 물끄러미 바라보았다.

그때 군중 속에 있던 누군가가 에스메랄다를 향해 악다구니를 퍼부었다.

"천벌을 받아라! 집시 계집애야! 너는 언젠가 반드시 교수대에 오를 것이다!"

채광창의 독방에 사는 노파였다. 그녀는 다른 집시보다 유난히 에스메랄다를 저주하고 있었다. 그녀가 집시에게 빼앗겼던 어린 딸이 다 자랐다면 에스메랄다와 동갑쯤 되었을 것이기 때문이다.

공시대에서 풀려나 성당으로 돌아온 카지모도는 몸과 마음이 아파 한참을 고생했다. 채찍에 맞아 터진 살갗은 그의 몸을 아프게 했고, 에스메랄다는 카지모도의 마음을 아프게 했다.

에스메랄다를
납치하려고 했던 건 클로드
신부가 시켜서 했던 거잖아.
에스메랄다에게 사죄하고
용서를 구하면 돼.
절망하지 마.


물 한 모금과 따뜻한 눈길로 카지모도를 위로慰勞해 주었던 에스메랄다. 카지모도는 그녀를 가까이에서 만나 보기를 원했지만 그럴 수 없었다. 그는 흉측한 외모를 가지고 있는데다 에스메랄다를 납치하려고 하지 않았던가. 에스메랄다에게 다가갈 용기가 나지 않았다.

카지모도가 시름에 잠겨 있는 동안 성당의 종소리는 슬픈 멜로디가 되어 그레브 광장을 휘감았다. 맥

위로(慰勞) : 따뜻한 말이나 행동으로 괴로움을 덜어 주거나 슬픔을 달래 줌.

빠진 종소리가 울릴 때마다 사람들은 종탑을 올려다보며 한숨을 쉬었다. 3월 어느 날, 카지모도는 따뜻한 봄볕과 함께 기운을 차렸다.

"종들아, 눈을 떠라! 내가 다시 돌아왔다. 세상에서 가장 아름다운 소리를 하늘에 수놓아 보자꾸나."

카지모도는 힘차게 외치며 종을 울렸다. 종들은 다시 카지모도와 하나가 되었다. 종소리는 환희에 가득 찬 멜로디가 되어 광장 너머로 힘차게 울려 퍼졌다.

그러나 힘찬 종소리는 다시 며칠을 넘기지 못했다. 광장에 에스메랄다가 나타날 때마다 카지모도는 손에 힘이 빠져 종의 밧줄을 놓쳐 버렸다. 버림받은 종들은 울다가 이내 소리를 멈추었다.

따사로운 햇살이 내리쬐는 그레브 광장이 나들이객들로 붐비는 어느 날이었다. 에스메랄다 곁에 낯선 광대 한 사람이 따라다녔다. 바로 그랭구아르였다. 그는 기적궁에서 두 달 동안 묘기를 배웠다. '접시 돌리기'와 '이로 의자 세우기'가 그랭구아르가 선보이는 묘기였다. 그리고 에스메랄다의 공연이 끝난 뒤 동전을 챙기는 것도 그의 몫이었다.

노트르담 종탑 위에서 클로드 신부가 광장을 유심히 내려다보고 있었다. 그는 에스메랄다와 함께 다니는 광대에게서 눈을 떼지 않았다.

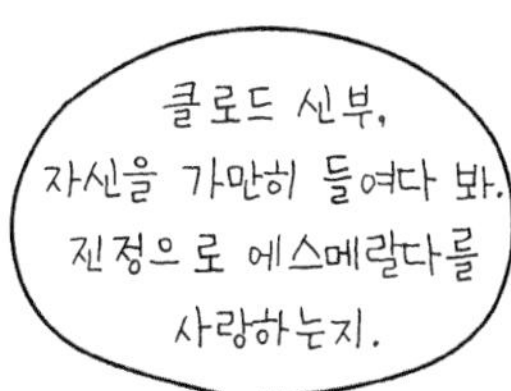

클로드 신부,
자신을 가만히 들여다 봐.
진정으로 에스메랄다를
사랑하는지.


'저 녀석은 뭐지? 혹시 에스메랄다를 좋아하는 녀석이 아닐까?'

클로드 신부는 에스메랄다를 사랑하고 있었지만 그녀 가까이 다가갈 수 없는 몸이었다. 신부는 오직 하느님만 모셔야 했고, 여자를 가까이 해서는 안 되기 때문이었다.

하지만 그는 이미 신부로서의 자격을 잃어버린 상태였다. 카지모도를 시켜서 에스메랄다를 납치하려고 했던 장본인이 아닌가.

'에스메랄다, 무슨 수를 써서라도 당신을 내 여자로 만들고야 말 테다.'

에스메랄다,
당신을 반드시 내 여자로 만들고야 말겠어.
에스메랄다,
오늘도 사람들이 당신의 춤과 노래에 흠뻑 빠져들겠죠?
당신의 묘기도 점점 인기를 끌고 있잖아요.

클로드 신부의 두 눈에는 무서운 집념執念의 불꽃이 타올랐다. 이성을 잃은 그는 점점 이상한 사람으로 변해 가고 있었다.

한 무리의 귀족 아가씨들도 광장의 풍경을 내려다보고 있었다. 그녀들은 노트르담 성당이 정면으로 보이는 호화 주택 발코니에 모여 있었다. 페뷔스는 재잘거리는 아가씨들 사이에 끼어 있었다. 잘생기고 멋진 페뷔스는 아가씨들에게 인기가 많았다.

"페뷔스, 당신이 두 명의 납치범들로부터 구해 냈다는 집시가 저 아가씨 아닌가요?"

페뷔스의 약혼녀 리스가 에스메랄다를 손가락으로 가리키며 말했다.

"글쎄, 나를 알아볼지 모르겠소."

"한 번 데리고 와 봐요."

"그래요. 가까이에서 보고 싶어요."

집념(執念) : 한 가지 일에 매달려 마음을 쏟음. 또는 그 마음이나 생각.

리스와 아가씨들은 에스메랄다가 자기들보다 얼마나 예쁜지 보고 싶어 했다. 페뷔스는 손을 들어 에스메랄다를 큰 소리로 불렀다.

"아가씨, 나 좀 봐요."

에스메랄다는 한눈에 페뷔스를 알아보았다. 뺨이 발갛게 달아오른 에스메랄다는 페뷔스를 향해 발걸음을 옮겼다. 그녀의 양 잘리도 그녀 뒤를 쫓았다.

"나를 알아보겠소?"

"알고말고요. 저를 구해 주신 분이잖아요."

페뷔스가 묻자 에스메랄다가 얼굴을 더욱 붉히며 대답했다.

대놓고 흉을 보는
아가씨들이야말로
천박한 사람들이라고!

리스와 그녀의 친구들은 페뷔스가 에스메랄다와 다정하게 이야기를 나누자 질투가 났다. 그래서 매정하게 말을 내뱉었다.

"어머머, 세상에! 저 옷 꼴 좀 봐."

"쯧쯧, 천박하기도 해라."

에스메랄다는 부끄러워 얼굴을 붉혔다.

"신경 쓸 것 없어요. 그녀들이 아무리 지껄여도 당신보다 아름답지는 않으니까."

페뷔스가 자기편을 들어주자 에스메랄다는 감동했고 귀족 아가씨들은 자존심이 상해 뾰로통해졌다. 페뷔스는 리스와 약혼한 사이지만 그녀를 별로 좋아하지 않았다.

이때 제르베즈라는 아가씨가 잘리의 목에 달려 있는 가죽 주머니가 신기한 듯 만지작거리다가 끈을 풀고는 바닥에 쏟았다. 알파벳이 우르르 쏟아졌다. 그러자 잘리가 발굽으로 알파벳을 골라 무슨 글씨를 써 놓았다.

"이것 좀 봐요! 양이 무슨 글씨를 썼어요."

제르베즈의 외침에 모두들 고개를 돌렸다.

'페뷔스.'

잘리가 양탄자 위에 알파벳으로 만들어 놓은 것이었다. 그랭구아르가 에스메랄다의 부탁을 받고 양을 훈련시킨 덕분이었다. 양은 두 달 동안 그랭구아르에게 알파벳으로 페뷔스를 쓰는 방법을 배웠다.

"잘리! 네가 해냈구나. 해냈어!"

에스메랄다는 양을 끌어안고 좋아했다. 그러나 페뷔스의 약혼녀 리스는 충격을 받고 기절해 버렸다.

그즈음 광장에서는 그랭구아르 혼자 구경꾼들을 즐겁게 해 주고 있었다. 그는 의자 위에 고양이 한 마리를 올려놓고, 그 의자 다리 하나를 이로 받치고 있었다.

"피에르 그랭구아르!"

그랭구아르는 누군가 자기를 부르는 소리에 깜짝 놀랐다. 그 바람에 의자와 고양이가 구경꾼들을 덮치고 말았다.

"똑바로 못해!"

구경꾼들이 투덜거리며 자리를 떠났다. 텅 빈 자리에는 클로드 신부가 혼자 서 있었다.

"한동안 통 안 보이더니 여기서 뭐하고 있나?"

"부주교님! 아니 스승님!"

"지금 뭐하는 건가? 직업을 바꿨나?"

"네, 아무 미련 없이 바꿨어요. 한 편의 아름다운 시가 한 덩이의 빵이나 치즈보다도 못하다는 걸 알았으니까요. 스승님도 아시다시피 저는 일전에 마르그리트 공주를 위해 비극悲劇 한 편을 썼습니다. 그런데 각본료는 한 푼도 받지 못했어요. 그런 일이 뭐 한두 번인가요. 그러니 어쩌겠어요. 굶어 죽지 않으려면 광대 짓이라도 해야죠."

"요즘 집시 여자와 함께 다니던데 어찌된 일인가?"

클로드 신부가 눈을 가늘게 뜨고 물었다.

"그녀와 저는 부부 사이예요. 우리는 두 달 전에 결혼했거든요."

클로드 신부는 망치로 뒤통수를 얻어맞은 기분이었다. 그는 두 눈을 부릅뜬 채 고함을 질렀다.

"집시와 결혼을 하다니, 하늘이 무섭지도 않느냐!"

"스승님! 에스메랄다와 저는 형식만 부부라고요. 그녀는 어릴 때 헤어진 자기 어머니를 찾을 때까지 진짜 결혼은 하지 않을 거라고 했

비극(悲劇) : 인생의 불행이나 슬픔을 제재로 하여 슬픈 결말로 끝맺는 극.

제가 증인이에요. 두 사람은 절대 부부가 아니에요.
집시 처녀와 결혼을 했다고? 천벌을 받을 것이다.
아, 그녀와 저는 형식적으로만 부부라고요.

어요. 가끔 '페뷔스'라고 중얼거릴 때가 있는데, 아마 어머니를 찾게 도와달라고 주문하는 것 같았어요."

그랭구아르는 그동안의 일들을 숨김없이 털어놓았다.

"페뷔스는 뭔가?"

"집시들이 모시는 태양신이에요."

"자네는 잠잘 때 그녀와 따로 자는가?"

"물론이지요. 가짜 부부라고 말씀드렸잖아요."

"내 앞에서 맹세할 수 있는가?"

"맹세할게요. 그런데 도대체 왜 그러시는 거죠?"

그랭구아르가 이상하다는 듯이 묻자 클로드 신부는 당황해하며 한마디 했다.

"집시 여자는 영혼을 타락시키는 악마라네. 자네가 그 여자에게 손을 대는 순간 악마의 부하가 될 걸세. 명심하게. 나는 자네가 잘되기를 바란다네."

클로드 신부는 하느님도 속이고 자신도 속이는 거짓말을 해 버렸다.

# 5장

## 마녀 사냥

흥청망청 먹고 마시며 놀기를 좋아하는 장 몰랭은 늘 돈이 궁했다. 그는 돈이 떨어질 때마다 형을 찾아갔다. 클로드 신부는 장 몰랭의 가장 만만한 저금통이었다.

"일하기 싫으면 먹지도 말아라."

클로드 신부는 동생이 찾아와 돈을 요구할 때마다 이렇게 말하며 타일렀다. 그러나 장 몰랭은 어떻게 해서든 클로드 신부의 주머니를 털어 갔다. 장 몰랭은 돈을 받아 내자마자 술집으로 줄행랑을 쳤다.

오늘도 클로드 신부는 마음이 약해져 장 몰랭에게 돈을 내주고 말았다. 장 몰랭은 주머니를 두드리며 성당을 빠져나갔다. 그는 공들리에 저택을 향해 큰 소리로 외쳤다.

"페뷔스! 한 잔 하게나!"

그 소리가 어찌나 컸던지 성당 안에 있던 클로드 신부의 귀에까지 파고들었다. 클로드 신부는 '페뷔스'라는 말에 정신이 퍼뜩 들었다.

'페뷔스? 실제 존재하는 사람이었어? 그것도 동생 친구라고?'

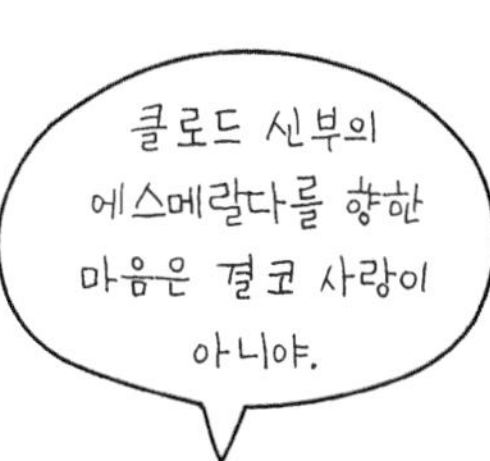
클로드 신부의
에스메랄다를 향한
마음은 결코 사랑이
아니야.

클로드 신부는 페뷔스가 어떤 인물인지 몹시 궁금해졌다. 그는 황급히 동생의 뒤를 따라나섰다.

장 몰랭과 페뷔스는 길모퉁이 담벼락에 기대 이야기를 나누고 있었다. 클로드 신부는 몸을 숨긴 채 귀를 기울였다.

"장 몰랭, 집시 아가씨를 알고 있나?"

"에스메랄다 말인가?"

"그래. 오늘 일곱 시에 생 미셸 다리에서 만나기로 했다네."

"그녀가 올 거라고 믿나?"

"물론이지. 그녀가 먼저 만나자고 했으니까."

"페뷔스, 당신은 세상에서 가장 행복한 사내로군. 술이나 마시러 가세."

장 몰랭과 페뷔스는 술집을 향해 나란히 걸었다. 이야기를 엿들은 클로드 신부는 흥분하여 두 손을 부르르 떨었다.

'에스메랄다가 저 녀석을 좋아하다니! 페뷔스를 에스메랄다에게서 떼어 놓고 말겠어.'

어둠이 깔리기 시작하자 페뷔스는 장 몰랭과 헤어져 약속 장소로 갔다. 클로드 신부는 망토로 얼굴을 가린 채 페뷔스의 뒤를 밟았다.

생 미셸 다리 끝에서 만난 페뷔스와 에스메랄다는 다정하게 이야기를 나누며 걷다가 어딘가로 들어갔다.

클로드 신부는 창가에 숨어 두 사람을 주시했다. 에스메랄다는 두 팔로 페뷔스의 목을 끌어안고 있었다.

"오, 당신을 사랑해요. 당신도 나를 사랑한다고 말해

오! 페뷔스.
얼마나 보고
싶었는지 몰라요.
에스메랄다,
나도 보고 싶었소.
저자가
에스메랄다의 마음을
빼앗아 간 페뷔스란
작자로군.

주세요."

"사랑하고말고요. 당신 이외에 다른 여자를 결코 사랑해 본 적이 없다오."

페뷔스는 거짓말을 했다. 그는 다른 아가씨들을 만날 때도 똑같은 말을 속삭이곤 했다.

삐뚤어진 사랑에
눈이 먼 클로드 신부가
가여워. 우린 저런
사랑은 하지 말자.

클로드 신부는 타오르는 질투심을 억누르지 못했다. 더 이상 두 사람을 지켜볼 수 없었다. 그는 품속에서 번쩍이는 칼을 꺼내들고는 두 사람이 사랑을 속삭이는 방으로 뛰어들어갔다.

잠시 뒤 페뷔스는 비명을 지르며 쓰러졌다. 에스메랄다는 피를 흘리는 페뷔스를 보고는 기절했다.

어느덧 한 달이 흘러갔다.

기적궁 사람들은 모두 슬픔에 잠겨 있었다. 에스메랄다가 한 달이 지나도록 나타나지 않았기 때문이다. 아무도 그녀를 보았다는 사람이 없었다.

기적궁 사람들은 뒤늦게 에스메랄다가 헌병대 대장을 칼로 찔렀다는 소식을 들었다. 그녀는 현장에서 체포되어 재판을 기다리는 중이라고 했다.

'에스메랄다가 사람을 칼로 찔렀다고? 말도 안 돼!'

그랭구아르는 에스메랄다의 재판 날에 맞춰 부랴부랴 재판소로 달려갔다. 재판소에는 사건의 경위經緯를 알기 위해 찾아온 사람들로 가득 차 있었다.

그랭구아르는 겨우 방청석에 자리 하나를 차지하고 앉았다. 에스메랄다는 창백한 얼굴로 피고석에 서 있었다. 그녀의 머리는 마구 헝클어져 있었고, 새파랗게 질린 입술을 달달 떨었다. 그랭구아르는 그녀가 안쓰러워서 견딜 수가 없었다.

이번 사건은 종교 재판으로 진행되었다. 재판소의 자크 검사가 에스메랄다에게 말했다.

경위(經緯) : 일이 진행되어 온 과정.

"피고 에스메랄다는 법으로 금지되어 있는 마법을 부리는 집시이다. 피고는 지난 3월 29일 밤, 마법에 걸린 양으로부터 페뷔스를 죽이라는 명령을 받았다. 그리하여 악마가 보낸 유령의 도움을 받아 헌병대 대장 페뷔스를 칼로 찔러 목숨을 위태롭게 했다. 그 죄를 인정하는가?"

"내 사랑 페뷔스는 어디 있나요? 죽었나요, 살았나요?"

에스메랄다는 넋이 나간 모습으로 소리쳤다.

"페뷔스 대장은 죽어 가고 있다. 원하던 대로 되어 기쁜가?"

냉정한 검사의 말에 에스메랄다는 눈물을 흘렸다.

"피고가 죄를 인정하지 않으니 두 번째 피고가 증거를 보여 줄 것이다. 양을 법정으로 들여보내라!"

곧 에스메랄다가 데리고 다니던 양 잘리가 법정에 세워졌다. 자크 검사는 나무 조각으로 된 알파벳을 바닥에 뿌려 놓았다. 양은 거침없이 알파벳을 하나씩 물어 '페뷔스'를 완성시켰다. 이로써 모든 사실이 입증되었다.

"이래도 자백하지 않겠는가?"

내 사랑 페뷔스는 이제 이 세상 사람이 아닌가요? 오, 어쩌나?
양이 페뷔스라고 썼어. 그럼 에스메랄다가 진짜 페뷔스를 죽이려 했나?
음, 일이 제대로 되어 가는군.
휴, 잊어 먹지 않아 다행이야.

"검사님, 저는 페뷔스를 사랑해요. 그를 만나게 해 주세요. 사랑한 것도 죄가 되나요?"

에스메랄다가 눈물을 흘리며 애원했다.

마녀 사냥은 14세기에서 17세기에 유럽의 여러 나라와 교회가 이단자를 마녀로 판결하여 화형에 처하던 일을 말해.

그랭구아르는 잔뜩 겁에 질린 채 어쩔 줄 몰라 했다. 양에게 알파벳을 맞추도록 교육시킨 것은 바로 자신이었다. 하지만 그는 사실을 숨겨야 했다. 만약에 발각되는 날에는 자신도 공범으로 몰려 목숨을 잃을 수도 있었다.

종교 재판은 무서운 재판이었다. 누구라도 신을 부정하는 행위에 걸려들면 마녀 사냥의 심판대에 오르게 되어 있었다. 그랭구아르는 식은땀이 흘렀다.

"재판장님, 피고가 끝내 죄를 인정하지 않으므로 다시 심문을 해야겠습니다."

"허락합니다. 재판은 잠시 쉬었다 다시 열도록 하겠습니다."

자크 검사는 에스메랄다를 데리고 퇴장했다.

얼마 뒤 재판은 다시 시작되었다. 에스메랄다는 두 다리를 절뚝거리며 피고석으로 돌아왔다. 그녀는 휴정休廷하는 동안 다리를 옥죄이는 고문을 당했다.

"다 인정하겠어요! 빨리 죽여 주세요!"

에스메랄다는 모든 것을 체념한 듯 울부짖었다.

"피고 에스메랄다는 국법으로 금지하는 마법을 행사하여 사회 질서를 어지럽혔습니다. 이는 명백히 신을 부정하고 모독한 행위로 큰 벌을 받아야 마땅합니다. 본 검사는 모든 죄를 인정한 마녀와 양을 공개 처형해 줄 것을 재판부에 요청합니다."

"재판부는 다음과 같이 판결한다. 집시 처녀 에스메랄다와 양은 국왕 폐하가 정하는 날, 노트르담 성당 앞에서 공개 사죄한 뒤 그레브 광장의 교수대에 세워질 것이다. 처형 전에는 반드시 금화 세 닢을 종교 재판소에 지불해

휴정(休廷) : 법원에서, 재판을 잠깐 동안 쉬는 일.

야 한다. 하느님은 그대와 양의 영혼을 거두실 것이다."

재판은 끝났다. 가엾은 에스메랄다는 넋이 나간 채 서 있었다. 그랭구아르는 가슴이 찢어지는 듯했다. 재판이 잘못되었다는 것을 알면서도 그녀를 도울 방법이 없었기 때문이다.

에스메랄다,
페뷔스를 잊어. 페뷔스는
당신을 진정으로
사랑하지 않는다고.

에스메랄다는 재판소의 지하 감옥에 갇혔다. 그녀는 그곳에서 죽을 날만 기다렸다.

'페뷔스, 당신은 어디에 계신가요? 죽기 전에 당신을 꼭 한 번 만나고 싶어요.'

에스메랄다가 페뷔스를 그리워하고 있을 때 검은 그림자 하나가 그녀 앞으로 다가왔다. 그림자는 두건으로 얼굴을 가리고 있었다. 에스메랄다는 그 모습이 낯설지 않았다. 페뷔스가 칼에 찔렸던 날, 망토를 쓰고 달려들었던 사나이와 너무 닮았기 때문이다.

"누, 누구세요?"

사나이가 두건을 벗자 클로드 신부의 얼굴이 드러났다. 에스메랄다는 깜짝 놀라서 소리쳤다.

"당신을 본 적이 있어. 내가 납치되던 날! 그리고 페뷔스가 칼에 찔리던 날! 이 악마, 내게 무슨 원한이 있어 쫓아다니며 날 괴롭히는 거냐?"

에스메랄다는 감옥의 창살을 미친 듯이 흔들며 소리쳤다. 클로드 신부는 불꽃처럼 타오르는 눈빛으로 그녀를 바라보았다.

"당신을 사랑하오."

"미치광이! 정신병자! 나를 사랑한다고? 아, 내 사랑 페뷔스! 어서 나를 구해 주세요."

페뷔스만을 찾는 에스메랄다를 바라보며 클로드 신부는 입술을 깨물었다.

"내 이야기를 들려주지. 나는 원래 하느님과 학문밖에 모르는 순수한 사람이었어. 그러던 어느 날, 당신이 나타난 뒤부터 모든 것이 엉망이 되었어. 책을 펴도, 기도를 해도, 당신의 모습이 떠올랐지. 나는 당신을 미워도 해 보

에스메랄다,
불타는 이 마음을
받아 주오.
저는 당신을
사랑하지 않아요.
제가 사랑하는 사람은
따로 있어요!

고 증오도 해 보았어. 하지만 그럴수록 당신을 향한 나의 마음은 더욱더 타올랐어. 나는 당신을 내 것으로 만들기로 마음먹었지. 그뿐이야. 나는 당신을 사랑해!"

"저주받은 사랑 따위는 필요 없어. 내 사랑은 오직 페뷔스뿐이라고!"

"나를 사랑한다고 말해 줘, 제발. 당신을 이곳에서 구해 줄 수 있는 사람은 나밖에 없다고."

"오, 페뷔스!"

"페뷔스는 죽었어! 죽었다고!"

클로드 신부가 고함을 질렀다.

"아니야, 죽지 않았어. 내 사랑 페뷔스!"

에스메랄다는 그 자리에 쓰러져 버렸다. 클로드 신부는 처참한 심정으로 지하 감옥을 빠져나갔다.

마침내 교수형 날짜가 잡혔다. 에스메랄다는 수레에 실린 채 노트르담 성당 앞으로 끌려 나왔다. 법원의 명령대로 공개 사죄의 시간이 마련된 것이었다.

성당 문이 열리자 성직자와 성가대원의 모습이 나타났

다. 이윽고 장엄하고 슬픈 노랫소리가 광장에 울려 퍼졌다.

나를 둘러싸고 있는 수많은 사람들이여,

나는 조금도 두려워하지 않으리.

주여, 일어나소서,

하느님시여, 나를 구하옵소서.

에스메랄다는 아무 소리도 들리지 않았다. 억울하고 비참한 현재의 상황에서 빨리 벗어나고만 싶었다.

"저 집시 계집애를 빨리 죽여라! 내 눈으로 그 모습을 직접 보고 싶구나!"

채광창의 독방에 사는 노파가 수레를 보며 소리쳤다. 에스메랄다는 무심코 뒤를 돌아보았다. 공들리에 호화 주택의 발코니에 낯익은 사람이 서 있는 것이 보였다. 죽은 줄로만 알고 있던 페뷔스였다.

페뷔스는 살아 있었다. 그는 사건이 일어났던 날, 병원으로 옮겨져 치료를 받았다. 치료 후에는 부대로 돌아가서 정상적인 생활을 하고 있었다.

"페뷔스!"

에스메랄다는 큰 소리로 그를 불렀다. 페뷔스는 그 소리를 들었는지 발코니 뒤로 얼른 숨었다. 그는 약혼녀 리스와 결혼 날짜를 잡아 놓은 상태였다.

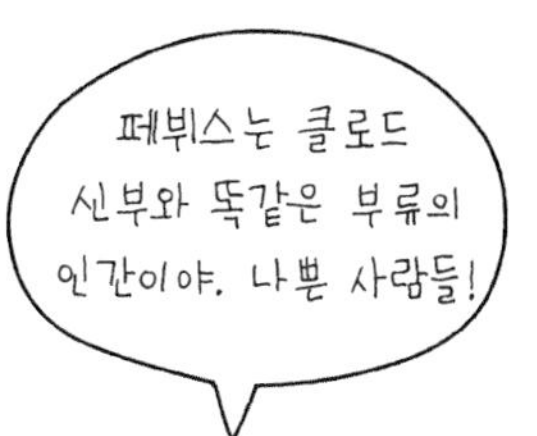
페뷔스는 클로드
신부와 똑같은 부류의
인간이야. 나쁜 사람들!

에스메랄다는 페뷔스가 살아 있다는 것만으로도 행복했다. 하지만 눈앞에는 불행한 현실이 그녀를 기다리고 있었다. 그녀는 눈을 감고 현실을 받아들이리라 마음먹었다. 눈을 뜨자 클로드 신부가 그녀 앞에 서 있었다.

"참회하라! 그대는 그대의 잘못을 하느님께 빌고 용서를 구하겠는가?"

클로드 신부는 큰 소리로 외치고는 이내 에스메랄다의 귓가에 대고 속삭였다.

"아직도 늦지 않았어. 나의 사랑을 받아 준다면 당신을 살려 낼 수 있어. 어때?"

"악마야, 내 앞에서 사라져라!"

에스메랄다는 그를 쏘아보며 외쳤다.

"흔들리는 넋이여, 이제 떠나거라. 하느님께서 그대에게 자비를 베푸시리라!"

클로드 신부는 큰 소리로 이렇게 외치고는 입속으로는 이렇게 중얼거렸다.

"그렇다면 네가 원하는 대로 죽어라. 아무도 너를 갖지 못하리라."

이제 에스메랄다에게 남은 것은 세상과 이별하는 일뿐이었다. 클로드 신부는 차마 그녀가 교수대에 세워지는 모습을 지켜보지 못할 것 같았다. 자신의 가슴속에 사랑의 피를 끓게 해 주었던 여자가 죽음을 눈앞에 두고 있지 않은가. 클로드 신부는 슬그머니 그 자리를 빠져나갔다.

사형 집행관이 수레를 교수대로 끌고 가려는 찰나였다. 성당 안에서 카지모도가 번개처럼 달려 나와 집행관을 때려눕혔다. 그러고는 순식간에 에스메랄다를 들쳐 메고 성당 안으로 들어가 버렸다.

에스메랄다 아가씨, 당신을 교수대에서 떠나보낼 수는 없어요. 제가 지켜 드릴게요.
당신은 정말로 용감하시군요. 제 목숨을 구해 주셔서 고마워요.

"여긴 성역聖域이다!"

카지모도가 성당의 계단을 오르면서 외쳤다.

눈 깜짝할 사이에 벌어진 일에 멍하니 서 있던 사람들은 박수를 보냈다.

"여긴 성역이다."

어느새 종탑 꼭대기에 올라간 카지모도가 큰 소리로 외쳤다.

그레브 광장의 수많은 구경꾼들은 박수를 치며 환호했다. 법정 관리들과 성직자들은 어찌해야 좋을지 몰라 입맛만 다시고 있었다. 성당 안은 법으로부터 면죄免罪를 받는 성역이다. 아무리 큰 죄를 지은 사형수라도 일단 성당 안으로 들어가면 체포할 수 없었다.

카지모도는 에스메랄다를 작은 독방에 내려놓았다. 독방은 노트르담 수도원의 지붕 위에 있었다.

성역(聖域) : 신성한 지역. 특히 종교상 신성하여 범해서는 안 되게 되어 있는 지역.
면죄(免罪) : 지은 죄를 면함. 또는 면하여 줌.

“아가씨, 여기는 안전해요. 아무도 아가씨를 잡아가지 못해요. 먹을 것과 입을 것은 제가 갖다 드릴게요.”

카지모도가 말했다. 에스메랄다는 이 상황을 어떻게 받아들여야 할지 몰랐다.

“왜 나를 구해 주셨나요?”

카지모도는 그녀가 무슨 말을 하는지 어렴풋이 짐작할 수 있었다.

에스메랄다,
잘생긴 페뷔스 보다
흉측한 카지모도가
당신을 진정 사랑하고
있다고.


“아가씨, 제가 무섭죠? 그러니 저를 쳐다보지 마세요. 아가씨는 제게 은혜를 베푸신 분이에요. 이제는 제가 그 은혜를 갚을 차례예요. 낮에는 여기서만 지내셔야 해요. 하지만 밤에는 성당 안을 마음대로 돌아다녀도 괜찮아요. 무슨 일이 생기면 이 호루라기를 부세요. 저는 종소리와 호루라기 소리만 들을 수 있어요.”

카지모도는 바닥에 호루라기를 내려놓고는 조용히 뒤돌아나갔다.

‘생긴 건 흉측하지만 마음만은 따뜻한 사람이야.’

# 6장

## 클로드 신부의 숙명

그레브 광장을 빠져나온 클로드 신부는 무언가에 쫓기듯 센 강둑을 따라 급히 걸었다.

'지금쯤 그녀는 싸늘한 몸이 되어 하늘로 갔겠지? 바보 같은 에스메랄다! 나를 사랑한다고 한마디만 해 주면 되었을 것을!'

클로드 신부는 생각할수록 에스메랄다가 원망스러웠다. 하지만 마음 깊은 곳에서는 아쉬운 미련이 남아 있었다.

'내가 신부가 아니고 그녀가 집시의 신분이 아니었더라면. 그녀가 페뷔스가 아닌 나를 좋아했더라면.'

클로드 신부는 이 모든 불행이 에스메랄다로부터 시작

되어 에스메랄다로 끝났다고 믿었다. 그는 이제 모든 것이 끝났다고 생각했다.

'나를 파멸의 구렁텅이로 몰고 간 그녀는 이 세상에서 사라졌다. 나는 이제 본래의 성직자 신분으로 돌아갈 수 있으리라.'

클로드 신부는 홀가분한 마음으로 노트르담 성당을 향해 발길을 돌렸다. 주위는 온통 어둠에 휩싸여 있었다.

그렇게 죄를 많이 짓고 성직자로 돌아갈 수 있을 거라고? 자신의 잘못을 반성하고 뉘우치지 않는 삶은 가치가 없는 삶이라고!

성당에 도착했을 때 자정을 알리는 시계의 종소리가 들렸다. 클로드 신부는 종탑을 바라보았다. 종탑은 클로드 신부를 언제나 마음 설레게 했던 장소였다. 그곳에서 광장을 내려다보면 눈부시게 아름다운 에스메랄다를 언제든지 볼 수 있었다.

'저곳에서 그녀의 아름다움을 마지막으로 느껴 보리라.'

클로드 신부는 나선 계단을 타고 올라가 종탑 꼭대기에 다다랐다. 그런데 독방 뒤쪽에서 불빛이 움직이는 것이 보였다.

불빛은 계단 입구 쪽으로 다가오고 있었다. 클로드 신부는 얼른 종탑 안으로 몸을 숨겼다. 불빛이 종탑 옆을 막 지나가고 있을 때였다. 클로드 신부는 얼굴이 창백하게 굳어 버렸다. 불빛의 주인공은 다름 아닌 에스메랄다였던 것이다. 그녀는 바람을 쐬기 위해 성당 안을 돌아다니고 있는 중이었다.

'내가 유령을 잘못 본 것이 아닐까? 어떻게, 어떻게 된 거지?'

클로드 신부는 한참 동안 얼어붙은 모습으로 종탑 벽에 기대 있었다.

이튿날 클로드 신부는 에스메랄다가 카지모도에게 구출되었다는 이야기를 들었다. 그는 충격을 받고 한동안 자신의 독방에 틀어박혀 지냈다. 모든 것이 끝난 줄 알았는데, 쓰라린 고통이 다시 시작되었기 때문이다.

에스메랄다는 살아 있고, 페뷔스도 살아 있다. 게다가 카지모도마저 클로드 신부의 가슴 밑바닥에 숨어 있던 질투를 불타오르게 만들었다.

아, 이 모든 괴로움이 또다시 시작되다니…….
카지모도는 어디 있을까?

카지모도는 에스메랄다를 구하고 난 뒤부터 클로드 신부의 주위에는 얼씬거리지도 않았다. 종을 칠 때만 노트르담 성당으로 건너갔고 먹고 자는 것은 수도원에서 해결했다. 그는 수도원에 머물며 에스메랄다를 돌보는 데 온 정성을 쏟아붓고 있었다.

'카지모도! 하찮은 네 녀석까지 나를 희롱戱弄하고 있구나.'

클로드 신부는 이글이글 타오르는 분노를 억누르지 못했다. 그는 다시 한 여자를 미치도록 사랑하는 평범한 인간이 되어 있었다.

며칠 뒤 늦은 밤이었다. 클로드 신부는 가슴이 뜨거워지는 것을 느꼈다. 에스메랄다가 머릿속에서 떠나지 않아 잠을 이룰 수가 없었다. 그는 벌떡 일어나 수도원으로 달려갔다. 그리고 에스메랄다가 자고 있는 지붕 위 독방으로 살그머니 숨어들었다.

희롱(戱弄) : 손아귀에 넣고 제멋대로 가지고 놂.

“에스메랄다, 내 사랑을 받아 줘! 제발 부탁이야.”

클로드 신부는 자고 있는 에스메랄다에게 다가가 속삭였다. 깜짝 놀란 에스메랄다는 자리에서 벌떡 일어났다. 에스메랄다는 클로드 신부를 보자마자 뺨을 세게 후려쳤다.

“이 악마, 저리가지 못해!”

“조용히 해! 오늘밤 당신을 내 여자로 만들고야 말겠어.”

사람들은 흉측한
외모를 가진 카지모도를 보고
악마라고 하지만 에스메랄다의
말처럼 악마는 바로
클로드 신부야.


클로드 신부는 제정신이 아니었다. 에스메랄다는 위험을 느끼고 호루라기를 힘껏 불었다. 금세 카지모도가 달려와 문을 열었다.

“카지모도!”

클로드 신부는 카지모도를 밖으로 끌고 나갔다. 그러고는 인정사정 없이 주먹을 날리고 발길로 걷어찼다. 카지모도는 무릎을 꿇고 두 손을 모아 싹싹 빌었다.

버려진 널 거둬
키워 줬더니 은혜도 모르고
배은망덕한 것
같으니라고.
잘못했어요.
하지만 에스메랄다만은
가만 놔둬 주세요.

"나리, 잘못했습니다. 저는 맞아 죽어도 좋아요. 하지만 그녀에게만은 손대지 마세요, 제발."

클로드 신부는 분이 풀리지 않았는지 카지모도를 세게 걷어찼다. 카지모도는 아픔을 참으며 데굴데굴 굴렀다.

"아무도 그녀를 갖지 못할 것이다!"

클로드 신부는 밤하늘을 향해 소리쳤다. 그 소리는 악마의 동굴에 울려 퍼지는 메아리 같았다.

다음 날 장 몰랭은 오랜만에 노트르담 성당을 찾았다. 목적은 단 한 가지, 형에게 돈을 뜯어내는 것이었다. 그는 앞뜰 마당에서 일하고 있는 하인에게 물었다.

"형님은 계신가?"

"물론, 계시지요. 그런데 만나 뵙기가 꽤 어려워요."

"알 만하군. 또 독방에 처박혀서 감옥 생활을 하는 모양이지?"

"여부가 있나요. 올라가 보세요."

장 몰랭은 건들거리며 성당 계단을 올라갔다. 그는 창문을 통해 방 안을 들여다보았다. 클로드 신부는 두 손으로 머리를 쥐어뜯으며 끙끙 앓는 소리를 내고 있었다. 한 쪽 벽에는 '숙명'이라는 글씨가 큼직하게 새겨져 있었다. 그 글씨는 오래전부터 씌어 있었지만 장 몰랭은 오늘에서야 처음 보았다.

자신이 약하면 숙명은
그만큼 강해져. 연약한
사람은 숙명의 수레바퀴에
깔리고 만단다.

'제기랄, 무슨 얼어 죽을 놈의 숙명 타령이야. 세상에 숙명이 아닌 게 어디 있어. 남자, 여자, 사랑, 돈, 도박, 모두가 숙명이지. 내 팔자는 돈과 거리가 먼 숙명이고. 형님처럼 신부가 되지 못한 게 한이야. 최소한 돈 걱정은 하지 않아도 됐을 텐데 말이지.'

클로드 신부는 새로운 고민거리에서 헤어나지 못하고 있었다. 종교 재판소에서 국왕의 허락을 받아 에스메랄다를 사흘 안에 체포하라는 명령을 내렸기 때문이다.

클로드 신부는 에스메랄다를 구하고 싶었다. 애당초 그녀에게 마녀 사냥이라는 올가미를 씌웠던 것은 자신이었다. 그는 에스메랄다가 자신의 사랑을 받아들이지 않자 자크 검사에게 마녀 재판을 해 줄 것을 요청했었다.

그러나 지금은 아니었다. 그녀는 어차피 성역에 들어와 있지 않은가. 성역 밖으로는 한 발자국도 나갈 수 없는 운명에 놓여 있었다. 클로드 신부에게 그보다 더 좋은 행운은 없었다. 평생 그녀를 가까이에서 지켜볼 수 있고, 자기 여자로 만들 수 있는 기회가 얼마든지 있었기 때문이었다. 그것이야말로 클로드 신부가 가장 바라던 숙명이 아니었던가.

그런데 마녀 사냥 명령이 떨어지면서 그 꿈이 산산조각으로 부서질 위기에 놓인 것이다. 클로드 신부는 그녀를 구해 낼 방법을 찾느라 속이 타고 있었다.

장 몰랭은 독방 문 앞에서 서성거렸다. 독방 문은 굳게 잠겨 있었던 것이다.

"형님, 저 왔어요."

"무슨 일이냐?"

"형님은 제 평생의 조언자 아닙니까. 좋은 말씀을 들으러 왔어요. 하느님은 정말 공평하시다는 걸 깨달았어요. 돈이 있는 한 배불리 먹이고, 돈이 떨어지면 바로 거지로 만들어 주시더군요. 저는 방탕한 생활을 한 죄로 하느님께 벌을 받고 있는 중이에요. 사랑하는 형님, 그래서 말씀드리는데요, 저는 이제부터 착실한 생활을 하기로 마음먹었어요. 예전에 형님이 신부가 되라고 일러 주신 것은 정말 옳은 말씀이셨어요. 저는 지금 그 길로 들어설까 합니다. 그러기 위해서는 책도 필요하고 노트도 필요하지요. 젠장, 며칠 전에는 잉크가 떨어졌지 뭐예요. 지금은 구두가 너덜너덜해 걷기가 불편하고요. 사랑하는 형님, 어떻게 해야 할까요? 조언 좀 해 주세요."

클로드 신부는 동생의 너스레를 받아 줄 기분이 아니었다.

"돈 없다!"

"제가 거지 신세가 되어도 좋다는 말씀이시군요?"

"오냐, 거지가 되어라."

"좋습니다. 나는 거지다!"

장 몰랭은 두말없이 돌아섰다. 마음이 약해진 클로드

신부는 돈주머니를 들고 방을 나섰다. 그는 동생에게 질 수밖에 없었다. 어린 시절 부모의 사랑을 독차지하고 자란 자신과는 달리 동생은 젖먹이 때부터 유모의 손에서 컸다. 그런 동생은 늘 사랑에 목말라 있었다. 클로드 신부는 그것을 잘 알면서도 학문에 매진邁進한다는 핑계로 동생을 따뜻하게 보살펴 주지 못했다. 동생은 커갈수록 성격이 삐딱하게 변했다. 클로드 신부는 그 책임이 모두 자신에게 있는 것만 같았다.

사랑하는 동생일수록
엄하게 가르쳐야
하는데…….

"장, 이게 마지막이다. 다시는 찾아오지 말아라."

클로드 신부는 동생에게 돈주머니를 집어 던졌다. 장 몰랭은 날아오는 돈주머니에 이마를 맞아 혹이 생겼다. 하지만 원하는 것을 손에 넣었기에 휘파람을 불며 나선 계단 아래로 부리나케

매진(賣盡) : 어떤 일을 전심전력을 다하여 해 나감.

사라졌다.

그랭구아르는 생 제르맹 거리를 홀로 걷고 있었다. 고딕 양식으로 지어진 그 거리의 주택들은 웅장했다. 그랭구아르는 건물과 조화를 이루고 있는 조각상들을 두루 살펴보았다. 조각상들이 참으로 아름다웠다.

'예술품 가운데 최고는 역시 조각상이야. 음, 아무리 봐도 위대하고 훌륭해.'

그랭구아르가 조각상에 정신이 팔려 있을 때 누군가 그의 어깨를 쳤다. 클로드 신부였다.

극시는 희곡 형식으로 쓰여진 시를 말해. 상연을 의식하지 않은 시인의 작품을 극시, 무대를 의식해서 쓴 작품을 시극이라고 한단다.

"잘 지냈나?"

"아, 스승님이셨군요. 그럭저럭 지내고 있습니다."

"여전히 가난해 보이는군."

"가난하긴 해도 불행하지는 않아요. 틈나는 대로 극시를 쓰고 있으니까요. 아직까지는 의자와 접시가 저를 먹여 살리고 있지요. 그것마저 배워 두지 않았더라면 큰일 날 뻔했어요. 요즘은 조각에 관심이 많지요."

"자네의 가장 큰 관심사는 집시 아가씨 아니었던가? 자네 부인 말일세."

클로드 신부가 그랭구아르를 떠보기 위해 넌지시 물었다. 그랭구아르는 클로드 신부의 속셈을 눈치챘다. 비록 자기를 가르친 스승이지만 타락墮落한 신부라고 생각했다. 그는 에스메랄다 납치 사건 때 클로드 신부가 그 자리에 있었던 것을 똑똑히 기억하고 있었다.

"에스메랄다와 저는 가짜 부부라고 말씀드렸을 텐데요? 그것도 4년 동안만 말이지요. 하지만 그것은 중요하지 않아요. 그녀는 지금 제 옆에 없고 저는 그녀를 깨끗이 잊기로 했으니까요."

"잊기로 했다니, 그게 무슨 말이지?"

"에스메랄다가 마녀 재판에서 교수형을 선고받았을 때

타락(墮落) : 올바른 길에서 벗어나 잘못된 길로 빠지는 일.

저는 생각했어요. 그녀와 나의 인연은 거기까지라고. 그날 이후 저는 그녀를 완전히 잊기로 마음먹었어요. 슬픈 일이지만 그녀를 위해서 해 줄 수 있는 것이 아무 것도 없었으니까요."

"그녀를 위해서 자네가 해 줄 수 있는 일이 있다면 어떻게 할 텐가?"

"스승님, 그녀는 이미 죽었다고요. 그녀가 죽었으니 저도 따라 죽으라는 말인가요?"

"자네는 그동안 귀머거리로 살았나 보군. 그녀는 살아 있어. 노트르담 수도원에서 안전하게 지내고 있단 말일세. 자네가 그녀를 구해 줘야겠네."

클로드 신부가 희소식을 전했으나 그랭구아르는 무덤덤한 표정이었다.

"그녀가 살아 있었다니 다행이군요. 하지만 나하고는 상관없는 일이에요."

"그녀는 기적궁에서 자네의 목숨을 구해 준 은인이 아닌가? 벌써 잊었나?"

자네의 목숨을 구해 준 에스메랄다의 은혜를 벌써 잊었단 말인가?
저는 에스메랄다를 잊기로 했다고요.

"잊긴요. 하지만 제가 왜 그녀를 구해야 하고, 구해서 무엇을 어떻게 하자는 말씀이지요?"

"종교 재판소에서 사흘 안에 그녀를 체포하라는 명령이 떨어졌다네. 자네는 그녀가 다시 교수대에 세워지기를 바라지는 않겠지? 한 사람의 목숨이 걸린 문제야. 거듭 말하지만 그녀는 자네의 생명을 구해 준 은인이라고. 그런데 무슨 이유가 필요해? 그녀가 교수대에 오르기 전에 무조건 구해 내고 봐야지."

"종교 재판소에서 성역을 침범하다니, 다시 마녀 사냥이 시작되는 건가요? 제가 에스메랄다를 위해 해야 할 일이 뭐죠?"

"노트르담 성당 주위에는 이미 밤낮으로 헌병대가 지키고 있어. 삼엄森嚴하기가 이루 말할 수가 없지. 하지만 나하고 함께 들어가는 사람은 신경 쓰지 않고 들여보내 주네. 나는 자네를 성당 안으로 데리고 들어갈 걸세. 자네

삼엄(森嚴): 무서우리만큼 질서가 바로 서고 엄숙함.

는 에스메랄다와 옷만 바꿔 입으면 돼. 자네 옷으로 갈아입은 에스메랄다는 나하고 감쪽같이 빠져나오는 거지. 자네는 에스메랄다로 가장하고 독방에 가만히 있으면 되는 것이고."

클로드 신부는 자신의 계획을 거침없이 털어놓았다. 그랭구아르는 어처구니가 없었다.

"그 다음에는요? 종교 재판소 나리들께서 저를 붙잡아다가 교수대에 매달아 버릴 텐데요."

"에스메랄다는 자네의 목숨을 구했어. 자네가 그 빚을 갚는 거야."

"아이고 스승님, 제가 갚지 않은 빚은 그 밖에도 수두룩하다고요."

"그래서 하지 못하겠다는 말인가?"

"왜 죄 없는 제가 교수대에 올라가야 하냐고요?"

"무엇 때문에 그렇게 목숨에 애착을 갖는 거지? 사랑하는 사람을 위해 그 정도 희생도 못해 주겠다는 건가?"

클로드 신부는 그랭구아르에게 버럭 화를 냈다.

"스승님, 제 목숨이 파리만도 못하다는 것은 경험해 봐서 알아요. 그렇지만 사람은 죽어야 할 이유보다 살아야 할 이유가 더 많아요. 좋은 공기, 푸른 하늘, 철학자, 거지, 천재, 바보! 이 모든 것은 사람이 살아 있을 때만 만날 수 있는 것들이고, 또 즐거움을 주는 것들이지요. 저는 대수롭지 않은 이유로 죽고 싶지 않아요."

"지금 네 목숨이 붙어 있는 게 누구 덕분인 줄 잊었느냐? 사랑스러운 그녀가 불쌍하지도 않은가? 어서 빨리 그녀에게 자비를 베풀겠다고 말하게. 하느님은 성스러운 죽음은 너그러이 받아 주신다네. 이래

도 하느님 앞에서 목숨을 구걸할 텐가?"

가엾은 에스메랄다를 생각하며 잠시 침묵을 지키던 그랭구아르가 입을 열었다.

"좋습니다, 스승님. 에스메랄다를 구해내자고요. 제 목숨을 걸지 않고서도 구해낼 수 있는 방법이 제게 있습니다."

"그래? 무슨 좋은 수라도 있나?"

"기적궁의 거지들은 에스메랄다를 누구보다 아끼고 사랑하는 사람들이죠. 그들에게 부탁하면 그녀를 구해 낼 수 있을 거예요. 기적궁의 거지들에게 노트르담 성당을 습격하게 한 뒤 혼란스러운 틈을 타서 그녀를 도망치게 하는 겁니다."

"썩 좋은 방법이군. 자네를 믿고 기다려 보겠네. 시간이 없으니 서둘러 주게."

클로드 신부는 그랭구아르의 손을 덥석 잡고 흔들며 말했다.

그랭구아르는 곧바로 기적궁으로 달려갔다. 그는 클로팽을 만나 자초지종을 설명說明했다. 클로팽은 성역이 무너지게 될 것이라는 소식을 듣고 입에 거품을 물었다.

"국왕이 스스로 발등을 찍겠다니 어리석구나. 좋다고. 그들이 국왕의 이름으로 성역을 무너뜨리고자 한다면, 거

설명(說明) : 어떤 일의 내용이나 이유 따위를 알기 쉽게 밝혀서 말함.

지왕인 나는 무력武力으로 노트르담을 무너뜨리겠다. 지금이 기회다."

클로팽은 기적궁의 모든 거지들을 동원시키고 무기를 모았다. 여기저기서 칼, 도끼, 방패, 창, 화살, 쇠사슬 등이 쏟아져 나왔다. 거지들은 잽싸게 무장하고는 출동을 기다렸다.

"에스메랄다는 우리의 누이동생이다. 반드시 구출해 내자."

"노트르담에는 금 조각상도 많다. 그것을 몽땅 들고 나오자."

거지들은 웅성거리며 출전出戰 의지를 불태웠다. 그 가운데는 그동안 기적궁에서는 볼 수 없었던 젊은이가 끼어 있었다. 젊은이는 머리부터 발끝까지 완전무장한 채 술병을 들고 있었다.

무력(武力) : 때리거나 부수는 따위의 육체를 사용한 힘.

출전(出戰) : 싸우러 나감. 또는 나가서 싸움.

나도 오늘부터
기적궁의 거지라고!
나가자! 싸우자!
이기자!
노트르담의 금
조각상은 모두
우리 것이다!
우리 누이동생
에스메랄다를 구하러
가자!

"꺽, 얼씨구 좋구나. 나는 거지다. 술을 따르라. 오늘은 나의 첫 출전이다. 형제들아, 우리는 원정을 나가려 한다. 용감하게 싸우자. 성당을 포위하고, 문을 때려 부수고, 에스메랄다를 구하고, 수도원을 무너뜨리고, 주교들을 불태우자. 우리의 명분은 정당하다. 노트르담을 약탈하라. 여러분, 종을 치는 악마 같은 녀석, 카지모도를 아시나요? 카지모도의 목을 매답시다. 친구들아, 난 거지다. 여기 포도주 한 병 더! 아직 돈이 조금 남았거든. 꺽!"

장 몰랭은
언제 또 이 틈에 낀 거야?
안 끼는 데가 없군.

그 젊은이는 장 몰랭이었다. 세상을 뒤집어엎고 싶은 생각이 굴뚝같았던 그는 앞장 서서 노트르담 성당을 향해 갔다.

# 7장
## 아름다운 두 영혼

에스메랄다는 노트르담 수도원의 독방에서 지내며 안정을 찾고 있었다. 그녀는 독방에서 지내게 된 뒤 얼마 동안은 페뷔스를 영영 만날 수 없게 되었다는 현실에 가슴이 미어졌다. 그러나 페뷔스가 자기를 사랑하지 않는다는 사실을 깨닫자 페뷔스에 대한 그리움도 점점 엷어지고 있었다.

카지모도는 에스메랄다를 기쁘게 해 주기 위해 날마다 애쓰고 있었다. 창가에 새장도 매달아 주고, 예쁜 꽃을 꺾어 와 꽃병에 꽂아 놓기도 했다. 그러고는 구석에 숨어 구슬픈 노래를 불러 주기도 했다.

에스메랄다 아가씨,
아름다운 꽃이 위안이
되어 줄 거예요.
페뷔스는
이제 날
사랑하지 않아.

얼굴을 보지 마시고 마음을 보세요.

전나무는 아름답진 않지만 겨울에도 푸른 잎을 간직한다오.

아, 나는 푸른 잎의 전나무예요.

아무도 전나무의 속마음을 몰라주는 게 슬퍼요.

그날 밤 자정 무렵이었다. 카지모도는 에스메랄다의 주위를 맴돌다가 이상한 광경을 목격했다. 새까만 그림자들이 광장으로 모여들고 있었던 것이다. 그들은 금세 노트르담 성당을 포위해 버렸다. 카지모도는 불길한 예감이 들었다.

성당 앞에서 거지들을 지휘하는 사람은 클로팽이었다. 그는 성당 난간 위에 올라서서 큰 소리로 외쳤다.

"파리의 종교 재판소 판사에게 나 기적궁의 대왕 클로팽이 말한다. 우리의 누이동생 에스메랄다가 억울하게 사형 선고를 받고 노트르담 성당 안으로 몸을 피했다. 그런데 종교 재판소에서는 그녀를 체포하려 하고 너희 성당도 허락했다. 들어라! 만일 하느님과 우리들이 없다면 그녀는 교수형을 당하리라. 우리는 그것을 막기 위해 여기에 왔다. 주교야, 너희 성당이 신성神聖하다면 우리 누이동생도 신성하다. 우리 누이동생이 신성하지 않으면 너희 성당도 신성하지 않다. 그런 까닭에 우리 누이동생을 돌려줄 것을 명령한다. 그렇지 않으면 성당은 무너지리라!"

성당 안은 쥐 죽은 듯 잠잠했다.

"진격하라! 문짝을 사정없이 때려 부숴라!"

클로팽이 명령하자 거지들이 벌 떼 같이 성문으로 달려들었다. 그들은 성문을 망치로 두들기고 도끼로 찍어 대기 시작했다. 웅장한 성문은 끄덕도 않은 채 요란한 소리만 냈다.

그때였다. 큰 대들보 하나가 천둥소리를 내며 성문 앞쪽으로 굴러떨어졌다. 수십 명의 거지 전사들이 대들보에

신성(神聖) : 함부로 가까이할 수 없을 만큼 고결하고 거룩함.

깔려 죽는 불상사가 일어났다.

"하늘에서 선물을 내려 주는 것은 고마운데, 주는 방법이 틀려먹었군."

클로팽이 투덜거렸다.

거지 전사들은 대들보를 들어서 성문을 부수는 무기로 사용했다. 그때 돌무더기가 성문 앞으로 우수수 떨어졌다. 거지 전사들은 머리가 깨지고 피가 터졌다.

"저 위에서 오락가락하며 우리를 못 살게 구는 악마가 누구냐?"

"카지모도다! 저 녀석을 먼저 지옥으로 보내자!"

장 몰랭이 사다리를 난간에 걸치고 잽싸게 올라가 성당 안으로 들어갔다. 나머지 전사들이 줄줄이 사다리에 매달렸으나 카지모도의 눈에 띄고 말았다. 카지모도는 사다리를 흔들다가 냅다 허공으로 밀어 버렸다.

카지모도는 기적궁의
거지들이 에스메랄다를
잡아가려는 줄 알고
있어.

회랑 안으로 들어온 장 몰랭은 카지모도와 단둘이 마주쳤다. 장 몰랭은 활을 당겨 카지모도의 왼팔에 화살을 꽂았다. 카지모도는 으르렁거리며 장 몰랭을 덮쳤다. 그는 장 몰랭의 두 다리를 붙잡아 빙빙 휘둘렀다. 그러고는 성문 밖으로 힘차게 내던졌다. 장 몰랭은 바닥으로 떨어지자마자 들것에 실려 나갔다. 거지 전사들은 장 몰랭의 죽음을 보고 흥분했다. 그들은 성당 벽에 밧줄을 걸고 기어오르기 시작했다.

한편 그랭구아르와 클로드 신부는 혼란을 틈타 수도원으로 들어갔다. 에스메랄다를 데리고 빠져나갈 계획이었다. 클로드 신부는 두건으로 얼굴을 가리고 있었다.

그들이 수도원 독방에 막 도착했을 때, 아래쪽에서 총소리가 울려 퍼졌다. 어느새 수백 명의 헌병대가 거지 전사들을 포위한 채 총을 쏘고 있었다. 그들은 루이 11세의 명령을 받고 한달음에 달려와 폭도들을 소탕掃蕩하고 있었다. 거지 전사들은 목숨을 걸고 싸웠다.

"에스메랄다, 어서 나와요."

그랭구아르가 다급하게 말했다.

"누구세요?"

"피에르 그랭구아르예요."

에스메랄다는 그를 알아보고 안심했다. 그러나 두건으로 얼굴을 가린 클로드 신부는 의심스러운 눈초리로 쳐다보았다.

"자, 빨리요! 여기서 붙잡히면 목숨이 위험해요."

그랭구아르는 에스메랄다의 손을 잡아끌었다. 클로드 신부는 말 없이 그들을 수도원 뒷문으로 안내했다. 세 사람은 강가에 준비해 놓은 나룻배에 몸을 실었다. 그랭구아르는 서둘러 노를 저었다.

배가 센 강을 따라 흘러가고 있을 때였다. 수많은 횃불

소탕(掃蕩) : 휩쓸어 죄다 없애 버림.

어디서 많이
본 사람처럼 낯이
익은데, 누굴까?
어떻게 하면
에스메랄다의 마음을
얻을 수 있을까?
에스메랄다가
눈치를 채면
안 되는데…….

들이 노트르담 성당 위에서 흔들리고 있었다.

"집시 계집이 도망쳤다!"

"마녀를 잡아라!"

에스메랄다는 노트르담 성당에서 벌어지는 일에 정신을 빼앗겨 두건을 쓴 남자의 정체에 대해서는 신경 쓸 겨를이 없었다.

그랭구아르는 광장 쪽 강가에 배를 댔다.

"자, 어서 내려요."

클로드 신부와 에스메랄다가 배에서 먼저 내렸다. 그러자 그랭구아르는 건너편 쪽으로 재빨리 노를 저어 가 버렸다. 클로드 신부는 에스메랄다를 강둑으로 데리고 갔다.

"당신은 누구죠?"

클로드 신부는 말없이 두건을 벗었다. 달빛에 그의 얼굴이 드러났다.

"당신인 줄 알았어!"

에스메랄다가 분노에 가득 찬 목소리로 말했다.

"나는 당신을 구해 준 은인이야. 종교 재판소에서 당신을 붙잡아 교수대로 보내기로 한 걸 내가 탈출시켰으니까. 노트르담 성당을 봐. 헌병대들이 당신을 찾아내려고 이 잡듯이 뒤지고 있어. 에스메랄다, 당신을 사랑해. 난 당신을 살려 낼 수도 있고 행복하게 해 줄 수도 있어."

"이 악마! 이 살인자!"

에스메랄다의 두 눈은 증오심으로 가득 차 있었다. 클로드 신부는 분한 마음을 억누르지 못하고 소리쳤다.

"둘 중 하나를 선택해. 나야, 교수대야."

"이 악마! 차라리 교수대를 선택하겠어."

에스메랄다가 외치자 절망의 늪에 빠진 클로드 신부가 허탈한 표정으로 말했다.

"그래. 날 사랑하지 않아도 좋아. 대신에 나를 용서해 줘. 제발, 용서한다고 딱 한마디만 해 달라고."

"당신은 죽어서도 절대 용서하지 않을 거야."

에스메랄다가 사납게 쏘아붙였다. 클로드

신부의 분노는 하늘을 찌를 듯했다. 그는 에스메랄다의 팔을 움켜쥐고 채광창 앞으로 끌고 갔다.

"이봐요, 손을 내미시오. 당신이 저주하는 집시 계집애를 데리고 왔소."

노파의 빼빼 마른 손이 채광창 밖으로 불쑥 나왔다. 클로드 신부는 에스메랄다의 손을 노파에게 넘겨주었다.

"헌병대를 불러 올 테니 꼭 붙들고 있어야 하오. 당신은 오늘 이 악녀가 교수형을 당하는 걸 볼 수 있을 거요."

클로드 신부는 냉정하게 돌아섰다. 에스메랄다는 노파의 손힘이 얼마나 센지 뿌리칠 수 없었다.

"할머니, 놓아 주세요. 당신은 왜 그렇게 절 미워하시는 거죠?"

"왜 미워하냐고? 넌 귀여운 내 딸 아네스를 잡아먹은 집시 계집이다! 알겠느냐? 오, 가엾은 아네스!"

"딸을 잃어버리셨군요."

"오냐, 그래. 듣고 싶냐? 16년 전, 어떤 집시 계집이 네 살밖에 안 된 내 딸을 훔쳐 갔다. 지금은 네 나이쯤 되었을 것이다. 불쌍한 아네스! 이 집시 계집애야, 내 아기를 내놓아라. 이게 내 딸의 꽃신이다. 나머지 꽃신 한 짝이 어디 있는지 아느냐? 그걸 알면 세상 끝까지 쫓아가서라도 찾아내고 말테다."

노파는 그동안 고이 간직해 온 꽃신을 꺼내 보였다. 에스메랄다는 소스라치게 놀랐다. 자기도 똑같은 꽃신을 간직하고 있었기 때문이다. 에스메랄다는 노파의 두 손을 잡고 목 놓아 울었다.

"어머니, 당신이 내 어머니였군요."

에스메랄다는 하염없이 눈물을 흘렸다. 노파는 집시 계집애가 위기를 모면하기 위해 수작을 부린다고 생각했다.

"이 집시 계집애야, 대관절 무슨 뚱딴지같은 소리를 지껄이느냐? 지옥은 가기 싫은 모양이구나. 내 딸이라면 꽃신을 보여 봐라. 이 못된 마녀야!"

에스메랄다는 허리춤에 있는 가방에서 꽃신 한 짝을 꺼냈다. 노파가 가지고 있는 꽃신과 똑같은 꽃신이었다.

"어머니, 저를 길러 주신 집시 아주머니가 이 꽃신을

이 꽃신을
보세요. 제가 딸이
맞아요, 어머니!
오, 그래.
내가 짜 준
꽃신이로구나.

꼭 지니고 있으라고 했었어요. 언젠가 친어머니를 찾을 수 있을 거라면서요. 그날이 오늘이었어요. 오, 사랑하는 나의 어머니."

노파는 꿈인지 생시生時인지 분간할 수 없었다. 그것은 기적이었다.

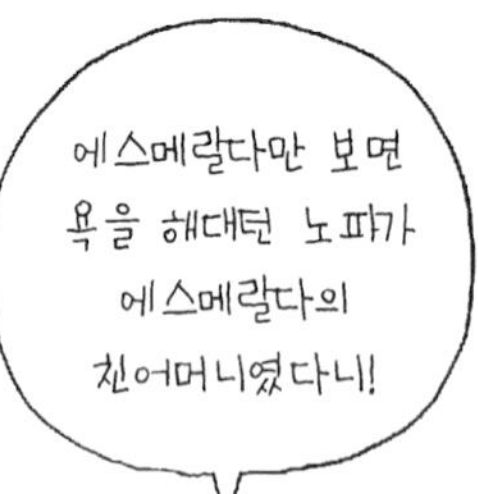

"아네스, 네가 살아 있었구나. 오, 하느님 감사합니다. 착한 내 딸을 이렇게 키워서 보내 주셨군요. 아네스, 어디 얼굴 좀 만져 보자. 너를 품에 한 번 안아 보고 싶구나. 이리 오너라, 아네스."

노파는 에스메랄다를 채광창 독방 안으로 들어오게 했다. 두 모녀는 서로 껴안고는 하염없는 눈물을 흘렸다.

어느새 아침 해가 떠오르고 있었다.

노트르담 성당 앞에는 시체들이 산더미처럼 쌓여 있었

생시(生時) : 자거나 취하지 아니하고 깨어 있을 때.

다. 밤새 헌병대와 맞서 싸웠던 거지 전사들이 목숨을 잃은 채 그곳에 누워 있었다. 그들은 에스메랄다를 구하기 위해 노트르담 성당을 포위했지만, 오히려 헌병대에게 포위되어 오도가도 못하는 신세가 되었다. 결국 그들은 폭도로 몰리면서 국왕의 총칼 앞에 처참히 무릎을 꿇고 말았다.

광장을 청소하는 헌병대원들은 시체를 들어 센 강에 집어 던졌다. 그때마다 시체들은 "풍덩!" 하고 마지막으로 한 맺힌 비명을 질렀다.

또 한 무리의 헌병대원들은 요란한 말발굽 소리를 내며 채광창의 독방으로 향하고 있었다. 그들은 클로드 신부의 신고를 받고 에스메랄다를 체포하러 가는 중이었다.

노파와 에스메랄다는 숨을 죽인 채 떨고 있었다. 에스메랄다는 잔뜩 겁에 질려 있었다. 그녀는 따뜻한 어머니의 품에서 떠나고 싶지 않았다.

"걱정마라, 아네스. 너는 내가 지켜 줄 테다. 아무도 내 딸을 손대지 못할 것이다."

노파는 에스메랄다를 안심시켰다. 그러나 얼마 지나지 않아 헌병대가 들이닥쳤다. 노파와 에스메랄다는 헌병대에 붙잡혀 밖으로 끌려 나왔다.

"헌병 나리들, 제 말 좀 들어봐요. 저는 16년 만에 잃어버린 제 딸을 방금 전에 찾았다우. 이 기쁨을 오랫동안 누리고 싶어요. 사랑하는 나리들, 제 딸아이를 살려만 주신다면 제 목을 내 드릴게요. 제발 내 딸을 빼앗아 가지 말아 주세요!"

노파는 울고불고 애원하며 헌병대원들에게 매달렸다.

"폐하의 뜻이다."

헌병대원들은 얼음장처럼 차갑게 말하며 에스메랄다를 묶었다.

"흑흑! 어머니, 안녕히 계세요. 하늘나라에서 다시 만나 행복하게 살아요."

에스메랄다는 어머니에게 그 한마디를 남기고 기절해 버렸다. 헌병대원 앙리에트는 그녀를 들쳐 메고 교수대 쪽으로 향했다. 노파는 딸에게 악착같이 달라붙어서 떨어지지 않았다.

"안 된다, 아네스! 네가 어디를 간단 말이냐. 이놈들아, 나를 데리고 가라! 어서 내 딸을 풀어 줘라! 어린 것이 불쌍하지도 않느냐. 너희들은 천벌을 받을 것이다!"

앙리에트가 교수대에 막 올랐을 때, 노파는 그의 손을 깨물었다. 딸을 잃지 않으려는 어머니의 간절한 몸짓이었다. 지켜보던 헌병대원들이 노파를 발로 차 밀어 버렸다. 노파는 교수대 아래로 거꾸로 곤두박질쳤다. 머리에서는 피가 철철 흘렀다. 노파는 영영 일어나지 못했다.

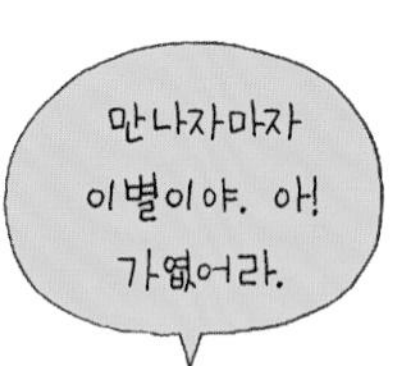

그 시각, 노트르담 수도원에서는 카지모도가 에스메랄다의 독방에 누워 있었다.

지난밤에 헌병대원들은 에스메랄다를 찾아내기 위해 노트르담 수도원을 들쑤시고 다녔다. 위험을 알아차린 카지모도는 그녀를 다른 곳으로 피신시키려고 독방으로 달려갔다.

하지만 에스메랄다는 이미 수도원을 빠져나간 뒤였다.

카지모도는 애꾸눈을 크게 뜨고 온 수도원을 구석구석 살폈다. 그녀가 끝내 보이지 않자 카지모도는 당황했다. 그는 다시 돌아와 에스메랄다가 누웠던 침대에 몸을 던졌다. 그러고는 에스메랄다의 체취가 남아 있는 이부자리를 움켜잡고 뒹굴며 소리 내어 울었다. 그는 에스메랄다가 사라진 것을 슬퍼하다가 깜빡 잠이 들었다.

창문으로 눈부신 햇살이 쏟아져 들어왔다. 카지모도는 정신을 차리고 자리에서 일어났다. 그는 이제 혼자였다. 에스메랄다는 곁에 없었다. 그녀를 위해 꽃도, 새도, 음식도, 옷도 갖다 바칠 필요가 없어졌다.

'아, 나는 왜 이렇게 불행해졌지? 누가 나를 불행하게 만든 거지? 나의 양아버지, 아니 주인님, 그분은 나를 학대했지만 나는 여전히 그분을 존경해. 하지만 아름다운 집시 아가씨를 괴롭히는 것은 못 참아. 나쁜 사람. 집시 아가씨를 어딘가에 숨겨 놓은 게 분명해.'

카지모도는 클로드 신부가 범인이라는 것을 확신했다. 그는 밖으로 뛰쳐나왔다.

클로드 신부는 건너편 종탑 옆에 서 있었다. 카지모도는 부리나케 수도원에서 성당 쪽으로 달려갔다. 클로드 신부는 알 수 없는 미소微笑를 지으며 광장을 뚫어지게 바라보고 있었다.

'무엇을 보고 저렇게 음흉하게 웃는 거지?'

단숨에 뛰어 올라간 카지모도는 종탑 뒤에 몰래 몸을 숨겼다. 그리고 광장을 내려다보았다. 광장의 교수대 주변에 사람들이 새까맣게 몰려 있었다. 교수대에는 한 여자가 목이 매달린 채 빙글빙글 돌고 있었다.

'집…… 집시 아가씨! 이럴 수가!'

카지모도는 온몸을 부르르 떨었다. 그의 외눈에는 절망과 분노의 감정이 뒤섞여 있었다.

'집…… 집시 아가씨가 죽었다. 그런데 저렇게 웃고 있는 클로드 신부는 어떤 사람인가? 악마다. 당신은 사람이 아니야!'

미소(微笑) : 소리 없이 빙긋이 웃음. 또는 그런 웃음.

카지모도는 분을 참지 못하고 클로드 신부를 난간 아래로 밀어 버렸다.

"으아아악!"

클로드 신부는 비명을 지르며 끝없이 추락했다. 바닥에 떨어진 그의 몸뚱이는 산산이 부서졌다.

"오! 나는 저 모든 것을 사랑했었는데!"

클로드 신부의 처참한 최후를 지켜보며 카지모도는 그렇게 외쳤다. 그날 이후 카지모도는 노트르담 성당에서 자취를 감춰 버렸다. 그가 어디로 떠났는지 아는 사람은 아무도 없었다.

1년 6개월 뒤 몽포콩의 뼈 무덤에서 두 남녀가 꼭 껴안고 있는 해골이 발견되었다. 여자는 목뼈가 부러져 있었고, 남자는 등뼈와 다리뼈가 굽어 있었다. 사람들이 두 해골을 떼어 놓으려고 하자 뼈는 한 줌의 가루가 되어 날아가 버렸다.

노트르담 성당의 꼽추 종지기 카지모도 같아!
오! 정말 감동적인 장면이야.
한 쌍의 아름다운 영혼이야.
아! 이제야 진정한 사랑을 얻었어요.
에스메랄다, 당신을 영원히 지켜 주겠소.

# PART 3

# 깊어지는 논술

논술을 잘하려면
맞춤법은 기본!

# 깊어지는 논술

## 노트르담의 꼽추 (Notre Dame de Paris)

〈노트르담의 꼽추〉는 사랑이 중심이 되어 이야기가 펼쳐지지만 그 밑바닥에는 현실에서 소외된 사람들의 꿈과 이상이 담겨 있어요. 작가 빅토르 위고가 살았던 19세기도 어지러운 세상이었지요. 소수의 권력자들이 대다수의 민중을 다스리며 가난으로 내몰고 있었거든요.

작가는 당시 사회의 문제점을 〈노트르담의 꼽추〉에서 꼬집고 있어요. 그 부분은 기적궁의 민중을 등장시켜 기득권의 성역을 무너뜨리고자 하는 데서 잘 나타나 있지요. 차별 없이 평등하게 사는 세상! 그것이 위고가 바라던 희망이었어요.

인간의 고귀한 사랑과 소외된 민중의 아픔이 잘 녹아 있는 〈노트르담의 꼽추〉는 출간되자마자 큰 인기를 누렸답니다.

▲ 파리에 위치한 빅토르 위고 자료관(왼쪽)과 자료관의 내부예요.

## 빅토르 위고 (Victor Marie Hugo, 1802~1885)

1802년 프랑스의 브장송에서 태어난 빅토르 위고는 프랑스 사람들이 국민 시인으로 받들고 있는 작가랍니다. 위고는 15세 때부터 문학에 천재적인 역량을 발휘하며 죽을 때까지 많은 작품 활동을 했어요. 살아생전에 시집 20권, 극작 10부, 장편소설 10편, 논문 5편을 발표했답니다.

위고는 젊은 시절 교회를 옹호하는 왕당파 작가로 활동했어요. 그러나 프랑스 혁명 이후 낡은 정치 체제가 무너지자 신보다 따뜻한 인간을 중시하는 작품 세계를 선보였어요. 〈노트르담의 꼽추〉는 그러한 배경 속에서 탄생했지요. 이후 위고는 소외된 사람들의 아픔을 그린 〈레 미제라블〉을 발표하여 19세기 낭만주의를 대표하는 작가로 우뚝 서게 되었답니다.

▲ 빅토르 위고는 〈레 미제라블〉이라는 걸작도 남겼습니다.

맑고 순수한 마음을 읽을 줄 아는 사람이 되세요!

생각의 날개를 펼쳐요!

## 세상은 누구에게나 평등할까요?

여러분은 〈노트르담의 꼽추〉를 읽고 무엇을 느꼈나요? 여러 인물을 만나면서 세상이 참 평등하지 않다는 것을 느끼지 않았나요?

카지모도는 심한 장애를 갖고 태어났어요. 생김새도 흉측해 사람들이 가까이하기를 꺼려 했지요. 그 때문에 자기가 좋아하는 사람이 있어도 마음 놓고 다가갈 수 없었지요. 카지모도는 불평등하게 태어나서 불평등한 대우를 받으며 살았어요.

내가 만약에 카지모도의 입장이 되었다면 어떠했을까요? 우리 주위에는 카지모도처럼 장애를 가진 사람들이 많아요. 그들은 카지모도와 비슷한 처지에 있어요. 우리는 그들이 상처 받지 않도록 따뜻한 사랑으로 감싸 주어야 한답니다.

에스메랄다의 삶은 어떤가요? 그녀는 평범한 신분으로 태어났지만 우연찮게 집시로 자랐어요. 당시 사회에서 집시는 가장 신분이 낮은 천민에 속했어요.

그녀가 천민이 된 것은 불행한 일이에요. 신분 차이가 많이 나는 페뷔스를 좋아했으니까요. 더구나 집시는 집시하고만 결혼해야 하는 풍습이 있었어요. 그래서 두 사람은 이루어질 수 없는 관계였어요.

에스메랄다가 집시가 아니었다면 어떻게 됐을까요? 그녀는 마녀로 몰려 마녀 재판을 받지 않고 자기가 좋아하는 사람을 만나 행복하게 살지 않았을까요?

요즘 세상은 신분의 차이가 없어요. 누구나 열심히 노력하면 원하는 꿈을 이룰 수 있어요. 평등한 세상에 사는 여러분은 정말 행복한 삶을 살고 있는 거예요.

15세기의 프랑스는 누구에게나 평등한 사회도 아니었고 법도 제대로 지켜지지 않았어요. 귀족이나 성직자들은 죄를 지어도 처벌받지 않고, 죄 없는 민중에게만 고스란히 죄를 물었지요.

기적궁의 거지 왕 클로팽은 불평등한 사회에 불만을 품고 있던 인물이에요. 그는 자기들의 법으로 그랭구아르를 사형에 처하려고 했지요. 평등하지 못한 법은 지킬 필요가 없다는 뜻을 갖고 있는 대목이에요. 클로팽은 나중에 그랭구아르를 살려 주고 에스메랄다와 결혼시켜 주지요. 왜 그랬을까요?

기적궁의 거지들이 바랐던 기적은 '평등한 세상'이 되는 것이었기 때문이에요. 그래서 클로팽은 자기들이 지켜 왔던 집시 결혼법을 무시하고 신분이 다른 두 사람을 맺어 준 것이지요.

아무도 법을 지키지 않는다면 어떻게 될까요? 여러분은 한숨도 자지 못하고 도둑이나 강도 걱정을 하며 살아야 할 거예요. 법은 누구든지 의무적으로 지켜야 하는 사회적인 약속이에요. 하지만 〈노트르담의 꼽추〉가 배경인 15세기의 프랑스에서는 권력자들이 오히려 법을 지키지 않았지요.

법원 앞에 가면 저울을 들고 있는 여신상이 있어요. 정의의 여신 디케의 상이지요. 이 여신이 들고 있는 저울은 어느 한쪽으로 치우치지 않고 수평으로 놓여 있지요. 그것은 "모든 사람은 법 앞에 평등하다."는 것으로 공평하게 죄를 심판하겠다는 뜻이랍니다.

〈노트르담의 꼽추〉에서 클로드 신부는 죄를 가장 많이 지은 사람으로 등장해요. 그는 신부의 신분을 저버리고 한 여자를 사랑하게 되면서 하느님께 죄를 지어요.

또한 에스메랄다를 납치하고 페뷔스를 칼로 찌르지요. 그 후에는 에스메랄다를 마녀로 몰아 가고, 카지모도를 심하게 학대하지요. 하지만 그는 한 번도 법의 처벌을 받지 않았어요.

"죄는 미워해도 사람은 미워하지 말라"는 말이 있어요. "사람의 천성은 원래 태어날 때부터 착해서 악한 사람이 없다."는 뜻으로 사용되지요. 과연 그 말이 클로드 신부에게도 통할까요?

클로드 신부는 결국 처참한 최후를 맞이해요. 카지모도는 악의 화신인 클로드 신부를 죽음으로 몰아넣고 노트르담 성당에서 사라져요. 훗날 에스메랄다의 유골 옆에서 카지모도의 유골도 함께 발견되지요. 죽음도 두려워하지 않는 카지모도의 고귀한 사랑에 많은 사람이 감동을 받았답니다.

평등하지 못한 세상을 버리고 에스메랄다에게로 간 카지모도는 저 세상에서는 평등한 삶을 살았을까요? 순수하고 맑은 영혼을 가졌으니 평등한 세상에서 행복한 삶을 살지 않았을까요?

죽어서까지
에스메랄다를 지키려 한
카지모도의 고귀한
사랑은 감동적이었어.

작가 빅토르 위고는
순수한 카지모도를 통해
사회적 편견과 기득권 세력의
민중에 대한 폭력을
고발하고 있어.

# PART 4

논술 워크북

논술의 기본은
논리적인 생각을 펼치는 것!

# 논술 워크북

논술 1단계 | 꼭 알고 넘어가요

1-1 〈노트르담의 꼽추〉에는 여러 부정적인 인물들이 나옵니다. 그중에서 가장 부정적으로 나오는 인물은 클로드 신부입니다. 클로드 신부는 어떤 죄를 지었나요?

1-2 에스메랄다는 왜 죽게 되었나요?

HINT

클로드 신부가 에스메랄다와 카지모도에게 어떤 행동을 했는지 생각해 보세요. 생각이 나지 않으면 3장, 5장, 7장을 자세히 살펴보세요.

2 클로드 신부는 버림받은 카지모도를 거두어 키워 주웠습니다. 그래서 카지모도는 클로드 신부에게 심한 학대를 받으면서도 클로드 신부가 시키는 일이라면 무엇이든 했습니다. 이런 카지모도의 행동을 어떻게 생각하나요? 카지모도에게 잘못은 없었는지 생각해 보고 무슨 잘못을 했는지 적어 보세요.

HINT

카지모도의 행동에 논리적인 오류가 없는지 생각해  보세요.

3 〈노트르담의 꼽추〉에는 부패한 종교를 비판하거나 소수의 권력자를 비판하기 위한 작가의 생각이 담겨 있습니다. 이런 작가의 생각을 살려 〈노트르담의 꼽추〉에 새로운 줄거리나 인물을 만들어 적어 보세요.

HINT

창의적인 사고에는 독창성, 유연성, 민감성, 정교성, 재구성 능력 등이 해당합니다. 그중 독창성을 물어보는 질문입니다.

4 카지모도는 교수형에 처해지려는 에스메랄다를 구출해 보살펴 줍니다. 하지만 카지모도는 클로드 신부가 그녀를 죽음으로 몰아넣었다는 것을 알고 클로드 신부를 떼밀어 죽게 합니다. 이런 카지모도의 행동을 사랑이라고 정의할 수 있을까요? 카지모도를 옹호하는 입장과 반박하는 입장 가운데 하나를 골라 그 이유를 적어 보세요.

- **나의 주장**

- **주장에 대한 이유**

## HINT

카지모도의 행동에는 옳은 것도 있고 옳지 않은 것도 있습니다. 카지모도의 행동을 전체적으로 생각해 보고 더 타당하다고 생각하는 주장을 골라 논거를 들어 보세요.

5 다음 글을 읽고 〈노트르담의 꼽추〉와 비교해서 어떤 사회가 진정 올바른 사회인지 논술해 보세요.

"아내와는 재작년에 결혼했습니다. 친정이 대구 근처에 있다는 얘기만 했지 한 번도 친정과는 내왕이 없었습니다. 난 처갓집이 어딘지도 모릅니다. 그래서 할 수 없었어요."

그는 다시 고개를 떨구고 입을 우물거렸다.

"뭘 할 수 없었다는 말입니까?" 내가 물었다

"아내의 시체를 병원에 팔았습니다. 할 수 없었습니다. 난 서적 외판원에 지나지 않습니다. 돈 사천 원을 주더군요. 아내는 어떻게 될까요? 학생들이 해부 실습하느라고 톱으로 머리를 가르고 칼로 배를 째고 한다는데 정말 그러겠지요?"

우리는 입을 다물고 있을 수밖에 없었다.

"기분 나쁜 얘길 해서 미안합니다. 다만 누구에게라도 얘기하지 않고서는 견딜 수 없었습니다. 한 가지만 의논해 보고 싶은데, 이 돈을 어떻게 하면 좋을까요? 저는 오늘 저녁에 다 써 버리고 싶은데요."

"쓰십시오." 안이 얼른 대답했다.

"이 돈이 다 없어질 때까지 함께 있어 주시겠어요?" 사내가 말했다. 우리는 얼른 대답하지 못했다.

"함께 있어 주십시오." 사내가 말했다. 우리는 승낙했다.

"멋있게 한번 써 봅시다."라고 사내는 우리와 만난 후 처음으로 웃으면서, 그러나 여전히 힘없는 음성으로 말했다.

–소설 〈서울, 1964년 겨울〉 일부

## HINT

등장인물들이 나누는 대화를 통해 인물들간의 관계를 파악하고 어떤 상황인지 생각해 보세요.

6 다 쓴 글을 친구나 부모님 앞에서 발표해 보세요. 그리고 듣는 사람이 고개를 끄덕이는지 아니면 고개를 갸우뚱하는지 반응도 살펴보세요. 발표가 끝난 후 평가도 부탁해 보세요.

# 가이드북

# GUIDE BOOK

**작품의 전체 줄거리**

노트르담 성당의 부주교 클로드 신부와 종지기 카지모도는 에스메랄다를 보고 사랑에 빠집니다. 하지만 에스메랄다는 헌병대 대장 페뷔스를 사랑합니다. 질투에 눈이 멀어 페뷔스를 칼로 찌른 클로드 신부는 에스메랄다에게 죄를 뒤집어씌우고 그녀를 마녀로 몰아 재판을 받게 합니다. 에스메랄다는 교수대에 오르지만 카지모도에게 구출됩니다. 그러나 국왕은 에스메랄다를 잡아들이라는 명령을 내리고 헌병대는 노트르담 성당으로 몰려갑니다. 기적궁의 사람들도 그녀를 구하기 위해 성당으로 몰려가지만 헌병대들은 그들을 모두 죽입니다. 클로드 신부의 사랑을 거부한 에스메랄다도 결국 사형을 당합니다. 에스메랄다를 죽게 한 사람이 클로드 신부라는 것을 알게 된 카지모도는 클로드 신부를 떼밀어 죽게 합니다.

**〈노트르담의 꼽추〉의 의미**

〈노트르담의 꼽추〉는 1831년 발표되어 지금까지도 많은 사랑을 받고 있으며, 장르를 뛰어넘어 영화, 애니메이션, 뮤지컬 등으로 만들어졌습니다. 15세기 파리를 배경으로 당시 시민들의 생활상과 파리의 모습을 자세하고 생생하게 담고 있는 작품이지요. 소설을 읽다 보면 파리 시민들이 벌이는 흥겨운 축제, 정확한 증거도 없이 임의대로 판결을 내리는 법정, 사형과 처벌 과정을 그저 재미로 바라보는 파리 시민들의 모습 등 다양한 사건과 인물들이 등장합니다.

빅토르 위고는 이 작품에서 가난한 사람, 약한 사람, 억압받는 사람에 대한 연민과 박애 사상을 담고 있으며 그의 이런 사상은 〈레 미제라블〉을 비롯한 그의 다른 작품에도 녹아 있습니다.

**1-1 사고 영역 _ 사실적 이해**

작가는 등장인물의 행동을 통해 그 인물이 긍정적인 인물인지 아닌지를 보여 줍니다. 작가의 의도를 생각하며 등장인물의 행동을 살펴보세요.

클로드 신부는 성직자로서 그리고 한 인간으로서 하지 말아야 할 잘못들을 저지르게 됩니다. 신부라는 신분으로 여자를 사랑해 에스메랄다를 납치하고, 질투에 눈이 멀어 페뷔스를 칼로 찌르고, 아무 죄도 없는 에스메랄다를 교수대에 오르게 하는 죄를 짓습니다.

**1-2 사고 영역 _ 사실적 이해**

본문의 내용을 잘 이해했는지 알아보기 위한 문제입니다.

에스메랄다를 보고 사랑에 빠진 클로드 신부는 그녀를 납치하려다가 실패를 하고, 그녀가 사랑하는 페뷔스를 살해하려고 하지요. 그리고 그 죄를 에스메랄다에게 뒤집어씌워 그녀를 마녀 재판에 회부합니다. 카지모도가 에스메랄다를 구해 냈지만 에스메랄다는 클로드 신부의 삐뚤어진 사랑을 받아들이지 않았고, 분노한 클로드 신부에 의해 결국 목숨을 잃게 됩니다.

**CHECKPOINT**

줄거리를 따라가며 등장인물들의 행동을 살펴보세요.

## 2 사고 영역 _ 비판적 사고

등장인물이 어떤 행동을 하는 데는 그 사람 나름대로의 이유가 있습니다. 카지모도가 하는 행동이 타당한지 생각해 보세요.

카지모도는 애꾸, 꼽추, 절름발이였습니다. 사람들은 카지모도의 흉측한 외모를 보고 외면했지만 클로드 신부만은 유일하게 카지모도를 거두어 길러 주었습니다. 그렇기 때문에 카지모도는 클로드 신부를 부모이자 주인으로 생각했고, 그를 믿고 따랐던 것입니다.

그러나 아무리 고마운 사람이라도 이성적인 판단을 하려면 개인적인 감정은 배제해야 합니다. 예를 들어 반장 선거를 하는데 "저 후보는 나와 같은 동네에 사니까 뽑아 줘야 해."라고 한다면, 이런 행동은 오류입니다.

카지모도가 에스메랄다를 납치한 것도 개인적인 감정에 치우쳐 논리적으로 선악을 판단하지 못한 오류였습니다. 하지만 마음씨 착한 카지모도는 자신의 이런 행동도 "나도 그 집시 아가씨를 사랑했어. 내가 좋아서 한 일이야. 주인님은 아무 상관도 없어."라며 자기의 죄로 돌리지요.

### CHECKPOINT

개인의 주관적인 의견이나 자신이 처해 있는 상황을 근거로 주장하는 것을 '사람에 호소하는 논증'이라고 합니다. 이런 형식의 논증이 모두 오류는 아니지만 주장과 논거의 관계가 적절하지 않으면 오류가 됩니다.

### 3 사고 영역 _ 창의적 사고

창의적인 사고에 해당하는 것 중 독창성이 있습니다. 독창성이란 다른 사람들이 생각하지 않거나 아직 이 세상에 없는 것을 만들어 내는 능력입니다. 이렇게 거창하지 않아도 괜찮으니 상상력을 발휘해 새로운 이야기를 만들어 보세요.

이 작품의 등장인물 가운데 가장 비판받는 인물은 클로드 신부입니다. 클로드 신부를 이용해 새로운 이야기를 만들어 낸다면 작가의 의도를 더 잘 살릴 수 있을 것입니다. 에스메랄다의 사랑을 얻기 위해 타락해 가는 클로드 신부는 부패한 종교인의 모습을 보여 줍니다. 하지만 에스메랄다와의 사랑이 이루어져 순결한 성직자가 어떻게 변해 가는지를 보여 주는 것도 재미있는 이야기가 될 것 같습니다.

혹은 카지모도를 사랑하는 여인을 등장시켜 클로드 신부를 응징하는 내용을 만들 수도 있겠습니다. 아니면 기적궁의 거지들이 부패한 사회와 종교를 개혁하는 것으로 내용을 꾸밀 수도 있습니다.

정답은 없습니다. 상상력을 발휘해서 자유롭게 생각해 보세요. 기발하고 엉뚱한 생각도 얼마든지 좋습니다.

### CHECKPOINT

많은 사람이 비슷하게 사고하기 때문에 논술에서 창의적인 사고는 굉장히 중요합니다. 소설을 읽으면서도 항상 창의적인 사고를 가지고 읽도록 노력하세요.

## 4. 사고 영역 _ 논리적 사고

인물이나 행동, 사건 등에는 바른 측면과 바르지 않은 측면이 둘 다 있을 수 있습니다. 하지만 이 문제에서는 한 가지 주장을 택해 그 주장을 뒷받침할 수 있는 적절한 논거를 들어야합니다.

### • 나의 주장

카지모도의 사랑은 고귀하다.

### • 주장에 대한 이유

카지모도는 여러 장애를 가지고 태어났기 때문에 누군가를 사랑하더라도 적극적으로 행동하기 힘들었을 것이다. 하지만 카지모도는 위험을 무릅쓰고 사형에 처해지려는 에스메랄다를 구해 냈다. 이런 행동은 장애가 없는 사람들이라도 감히 하기 힘든 행동이다.

그런데 카지모도는 더 나아가 에스메랄다를 성당으로 데려와 먹을 것을 가져다주고, 그녀를 위로하기 위해 노래를 불러 주었다. 그러면서도 그녀가 자신의 흉측한 모습을 보면 기분이 상할까 봐 숨어서 노래를 부르면서 그녀를 배려해 주었다.

이기적인 사랑이 넘치는 현 시대에서 카지모도의 행동은 고귀한 사랑을 보여 주는 좋은 예가 될 것이다.

**CHECKPOINT**

위 예를 토대로 다양한 관점에서 근거를 들 수 있도록 생각해 보아야 합니다. 주장과 근거의 관계가 적절해야 주장에 설득력이 생깁니다.

## 5 사고 영역 _ 논리적 사고

자신의 주장을 선택하고 이에 합당한 근거를 마련하여 논술하는 문제입니다. 정답은 없습니다. 여러분이 선택한 주장을 얼마나 합리적이고 조리 있게 표현하느냐가 중요합니다.

제시문을 보면 등장인물들은 서로의 이름도 모른 채 대화를 나누고 있습니다. '사내'는 부인이 죽자 시체를 팝니다. '안'은 '사내'가 아내의 시체를 판 돈을 모두 써 버리자고 하자 좋다고 합니다. 이 제시문에 나오는 등장인물들은 권력도 없고 가진 것도 없는 이 사회에서 소외된 인물입니다.

〈노트르담의 꼽추〉에도 소외된 인물들이 등장합니다. 바로 기적궁의 사람들입니다. 기적궁의 사람들은 거지나 집시들로 그 사회에서 가장 천한 계급에 속하는 사람들이었습니다. 기적궁의 사람들은 에스메랄다를 구하려고 하지만 모두 다 죽고 맙니다. 에스메랄다도 교수대의 이슬로 사라집니다. 만약 이들에게 권력이 있었다면 이렇게 억울하게 죽지는 않았을 것입니다.

〈노트르담의 꼽추〉와 제시문에서는 인간이 인간답게 대접받지 못하고 소외된 채 살아가는 사람들의 모습을 보여 줍니다.

### CHECKPOINT

제시된 글을 분석하여 공통점을 찾아낼 수 있어야 합니다.

다음은 논술 5단계 문제에 대한 예시 글입니다. 지도에 참고하시기 바랍니다.

'어떤 사회가 진정 올바른 사회인가' 하는 문제는 쉽게 답할 수 없습니다. 진정 올바른 사회가 되기 위해서는 여러 조건들이 필요하기 때문입니다. 그러나 〈노트르담의 꼽추〉나 제시문을 보면 소외당하는 사람이 없는 사회가 진정 올바른 사회라고 할 수 있습니다.

〈노트르담의 꼽추〉에서 신체적 장애를 갖고 태어나 사람들에게 조롱과 멸시를 받는 카지모도, 기적궁의 거지들, 집시 신분인 에스메랄다는 모두 소외된 인물입니다. 하지만 이 인물들은 소외를 극복하지 못하고 그들의 꿈은 결국 좌절을 당하고 맙니다.

제시문에 나오는 '사내'와 '안', '나'도 사회적, 경제적으로 소외된 인물입니다. 소수의 사람만이 행복하고 나머지는 차별을 받으며, 소외된 계층으로서 살아야 한다면 그런 사회는 올바르다고 말할 수 없습니다.

그러므로 소외된 계층을 위해서 사회적으로 많은 노력이 필요합니다. 개인이 아무리 열심히 노력하더라도 사회적 제약에 가로막혀 소외당하고 보다 나은 삶을 살 수 없다면 그 사회는 올바른 사회가 아닙니다. 때문에 소외된 사람들을 위해 복지 시설과 복지 정책을 마련해야 합니다. 또 개인적으로는 서로 진정으로 이해하고 소통하려는 마음가짐도 필요할 것입니다.

나는 역사책은 재미없어서 읽기 싫은데……
1 동물 농장
2 걸리버 여행기
3 좁은 문
4 돈 키호테
5 죄와 벌
6 정글북
7 지킬 박사와 하이드
8 전쟁과 평화
9 지구에서 달까지
10 허클베리 핀의 모험
11 비밀의 화원
12 이상한 나라의 앨리스
13 아큐정전
14 변신
29 파우스트
30 파랑새
31 톰 아저씨의 오두막
32 폭풍의 언덕
33 작은 아씨들
34 알프스 소녀 하이디
35 크리스마스 캐럴
36 보물섬
37 톰 소여의 모험
38 80일간의 세계일주
39 사람은 무엇으로 사는가
40 안네의 일기
41 어린 왕자
42 꼬마 철학자

15 레 미제라블
16 어머니
17 오즈의 마법사
18 허풍선이 남작의 모험
19 도련님
20 제인 에어
21 올리버 트위스트
22 피터 팬
23 위대한 개츠비
24 닐스의 이상한 모험
25 오만과 편견
26 로빈슨 크루소
27 홍당무
28 타임머신
44 오페라의 유령
45 삼총사
46 테스
47 1984년
48 파브르 곤충기
49 검은 고양이
50 베니스의 상인
51 노트르담의 꼽추
일연이 지은 〈삼국유사〉는 우리의 역사가 얼마나 찬란한지 보여 주는 증거야.
〈삼국유사〉에는 신기하고 재미있는 이야기가 많이 담겨 있어.
〈삼국유사〉를 읽고 우리 역사에 대해 자부심을 느껴 볼까!
논술 명작 52
삼국유사